교과서 완벽 반영

예비 초등 한글 자신감

② 받침 있는 글자

학부모 안내서

안녕하세요, 초등 교사 유정입니다.

18년 동안 학교 현장에서 아이들을 만나고, '맘앤티처'라는 또다른 이름으로 수많은 부모님들과 소통하며 어린이들의 한글 교육을 이야기하고 있습니다.

막 학교에 들어온 1학년 어린이들의 한글 수준은 천차만별입니다. 한글을 떼고 오는 어린이가 있는가 하면 한글을 거의 읽지 못하는 어린이도 있습니다.
한글을 안다는 것은 소리가 어떻게 글자로 표현되는지 안다는 것입니다.
따라서 소리와 글자를 연결하기 위해 많이 듣고, 보고, 소리 내어 읽으며 익히는 과정이 중요합니다. 이 책에서는 그 방법을 차근차근 안내합니다. 반드시 소리 내어 읽으면서 쓰고 익히다 보면 한글 떼기와 바른 글씨는 물론 국어의 기초까지 튼튼해집니다.

★ 받침 없는 글자로 시작, 받침 있는 글자까지 완성

1권 받침 없는 글자에서는 모음자부터 자음자, 글자의 결합, 받침 없는 글자로 하는 다양한 말놀이를 경험하며 글자를 익힙니다. 2권 받침 있는 글자에서는 발음이 쉬운 받침과 발음이 같은 받침끼리 모아 연습하고, 쌍받침과 겹받침까지 만나 봅니다.

★ 1학년 교과서 낱말 익히기

개정된 국어 교과서뿐만 아니라 수학, 학교, 사람들, 우리나라, 탐험으로 개정된 통합 교과에 등장하는 낱말을 모아 구성하였습니다.

★ 재미있고 실감 나는 표현

요기조기, 뽀그르르, 주렁주렁, 허겁지겁… 소리와 모양을 흉내 내는 의성어와 의태어, 리듬감을 느낄 수 있는 첩어를 이용한 학습으로 말 재미를 경험할 수 있습니다.

★ 긴장하지 않는 받아쓰기 비법

1학년 받아쓰기 시간에는 조용한 긴장감이 교실에 가득 차곤 합니다. 하지만 이 책에서 받아쓰기를 놀이처럼 만나 봤던 어린이들에게는 자신감이 가득한 순간이 될 겁니다.

매일 읽고 쓰는 한글은 자신감이 무엇보다 중요합니다.
<한글 자신감>으로 1승, 2승을 그리고 완승하기를 바랍니다.

초등 교사이자 두 초등학생의 엄마 **맘앤티처 유정** 드림

어린이 알림장

한글을 혼자 읽고 쓰면 할 수 있는 것들!

★ 어떤 이름이라도 쓸 수 있어요.

나의 이름은 물론 가족, 친구의 이름을 읽고 쓸 수 있어요. 내가 좋아하는 장난감과 인형의 이름도 읽고 쓸 수 있어요. 반듯하게 내 물건의 이름을 쓰고 이름표를 만들어 가족들 앞에서 큰 소리로 읽으며 자랑해 보세요.

★ 책을 읽을 수 있어요.

언제든 원하는 만큼 혼자서 책을 읽을 수 있어요. 전래 동화, 과학책, 으스스한 공포 이야기까지 엄마 몰래 들춰보며 호랑이와 만나고 우주여행도 해보세요. 한글을 알면 책을 펼칠 때마다 새로운 세상이 펼쳐집니다.

★ 내 생각을 글로 표현할 수 있어요.

또박또박 글씨를 써서 고마운 마음이 담긴 편지를 부모님께 전할 수 있어요. 미안한 친구에게 사과 편지도 쓸 수 있고, 내 생일 초대장도 쓸 수 있어요. 하루를 보내며 꼭 기억하고 싶은 일과 소중한 내 마음을 일기로 쓸 수 있어요.

★ 공부에 자신감이 생겨요.

한글을 스스로 읽고 쓰면 수학 공부도 스스로 할 수 있어요. 다른 공부에도 자신감이 쑥쑥 생겨요. 궁금한 것도 많아져서 더 찾아 읽고 싶어져요.

이 책은 한 단원이 1승으로 구성되어 있어요. 선생님과 한 단원씩 1승, 2승, 3승… 완승까지 가는 거예요. 1승을 마치면 트로피 스티커로 스스로를 칭찬하면서 완승을 향해 출발! <한글 자신감>과 함께 체계적이고 즐거운 한글 공부 시작해 볼까요?

바르게 연필 잡는 법

① 엄지와 검지를 L자 모양으로 벌리고 중간에 연필을 올려요.

② 엄지와 검지를 둥글게 모아 연필 앞부분을 쥐어요.

③ 연필을 비스듬히 세우고 적당한 힘을 주어 잡아요.

한글 자신감, 이렇게 시작하세요

한글 습득 과정에 맞춘 단계별 학습

글자의 짜임부터 **받침 익히기, 복잡한 받침, 교과서 낱말 쓰기**까지 단계별로 차근차근 한글을 쓰면서 익힙니다. 받침에 따라 발음과 모양이 달라지는 낱말을 모아 연습하면서 학습 효과를 높이고, 같은 받침을 사용하는 낱말을 즐거운 말놀이로 복습하며 교과서 낱말 쓰기를 모두 완성합니다.

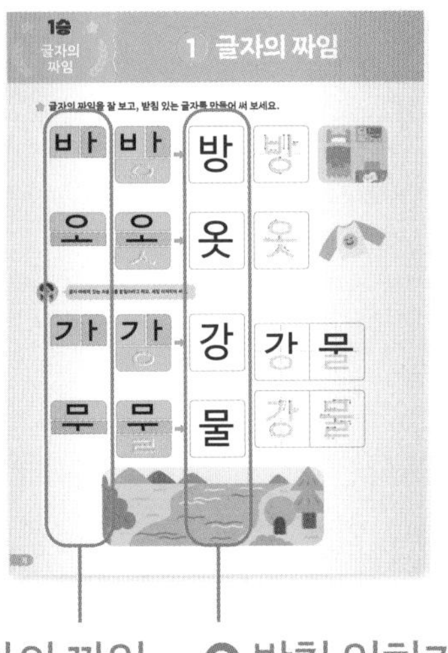

❶ 글자의 짜임 ❷ 받침 익히기 ❸ 복잡한 받침 ❹ 교과서 낱말 쓰기

다채로운 말놀이로 익히는 신나는 학습

미로, 낱말 퍼즐, 끝말잇기 등의 다양한 놀이 활동으로 배운 낱말을 재미있게 복습하면서 받침 있는 낱말을 내 것으로 만듭니다.

배운 낱말을 찾아
미로를 찾다보면
학습이 저절로!

끝말잇기로
앞말 뒷말을 맞추면
복습이 저절로!

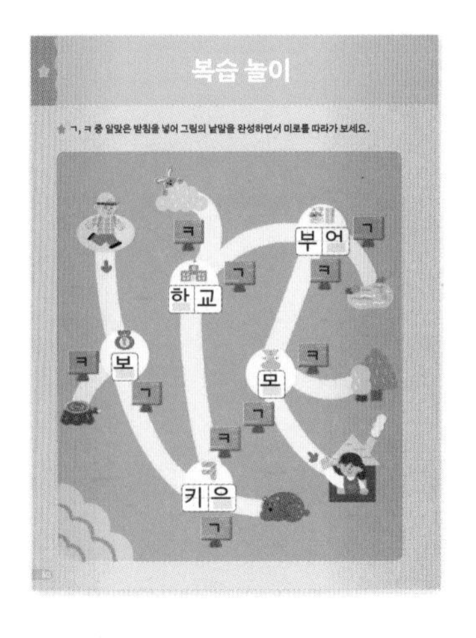

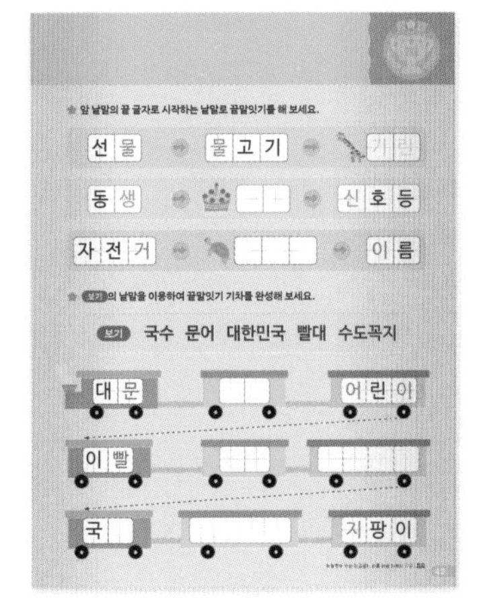

★ 받침 있는 글자로 만나는 첫 국어

받침 없는 글자에 이어 **받침 있는 글자**까지 익히면 한글 기초는 완성입니다. 글자의 짜임부터 받침, 쌍받침, 겹받침까지 배우고 **교과서 낱말**로 구성된 다양한 국어 활동을 경험해 보세요.

❶ 받침부터 쌍받침, 겹받침까지 받침 있는 글자까지 완성하고

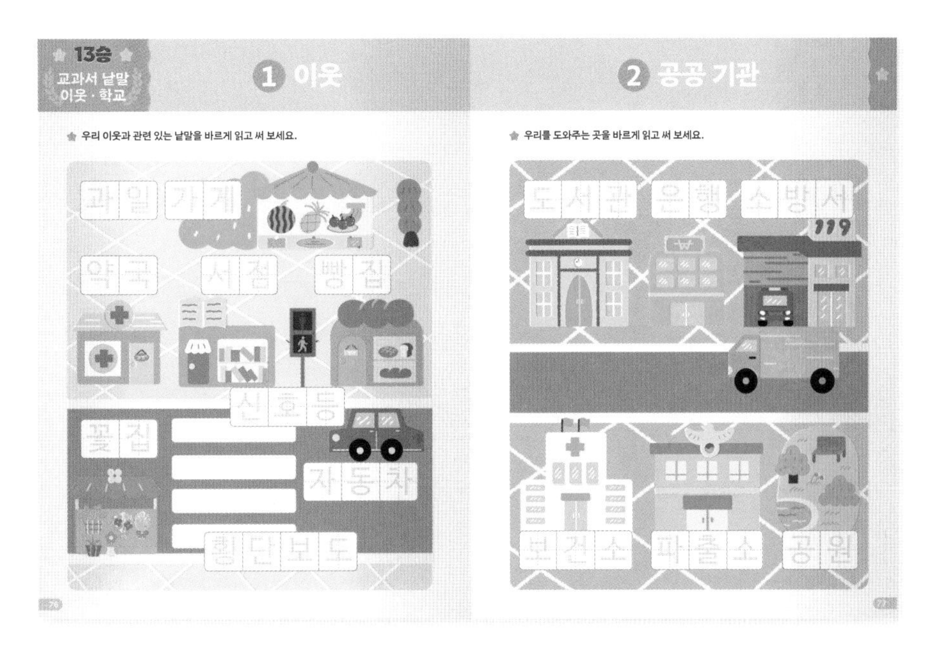

❷ 교과서 속 낱말을 읽고 쓰면 한글 기초 완성!

준비 학습

승	내용	쪽수	공부한 날	내 사인
1승	글자의 짜임	8-13쪽	월 일	

받침 익히기

승	내용	쪽수	공부한 날	내 사인
2승	받침 ㅇ, ㅁ	14-19쪽	월 일	
3승	받침 ㄴ, ㄹ	20-25쪽	월 일	
4승	받침 ㄱ, ㅋ	26-31쪽	월 일	
5승	받침 ㅂ, ㅍ	32-37쪽	월 일	
6승	ㄷ 받침 가족	38-43쪽	월 일	
7승	받침 종합	44-49쪽	월 일	

★ 복잡한 받침 글자

승	내용	쪽수	공부한 날	내 사인
8승	쌍받침	50-55쪽	월 일	
9승	겹받침	56-61쪽	월 일	
10승	복잡한 모음 받침 글자	62-67쪽	월 일	

★ 받침 있는 교과서 낱말

승	내용	쪽수	공부한 날	내 사인
11승	바른 글씨	68-71쪽	월 일	
12승	교과서 낱말 : 나·가족	72-75쪽	월 일	
13승	교과서 낱말 : 이웃·학교	76-79쪽	월 일	
14승	모음자 ㅜ, ㅠ	80-83쪽	월 일	
15승	모음자 ㅡ, ㅣ	84-87쪽	월 일	
16승	모음자 복습	88-91쪽	월 일	

★ 받침 없는 글자 정복

승	내용	쪽수	공부한 날	내 사인
17승	복잡한 모음 ㅐ, ㅔ, ㅒ, ㅖ	92-97쪽	월 일	
완승	복잡한 모음 ㅘ, ㅝ, ㅚ, ㅙ, ㅞ	98-104쪽	월 일	

1 글자의 짜임

★ **글자의 짜임을 잘 보고, 받침 있는 글자를 만들어 써 보세요.**

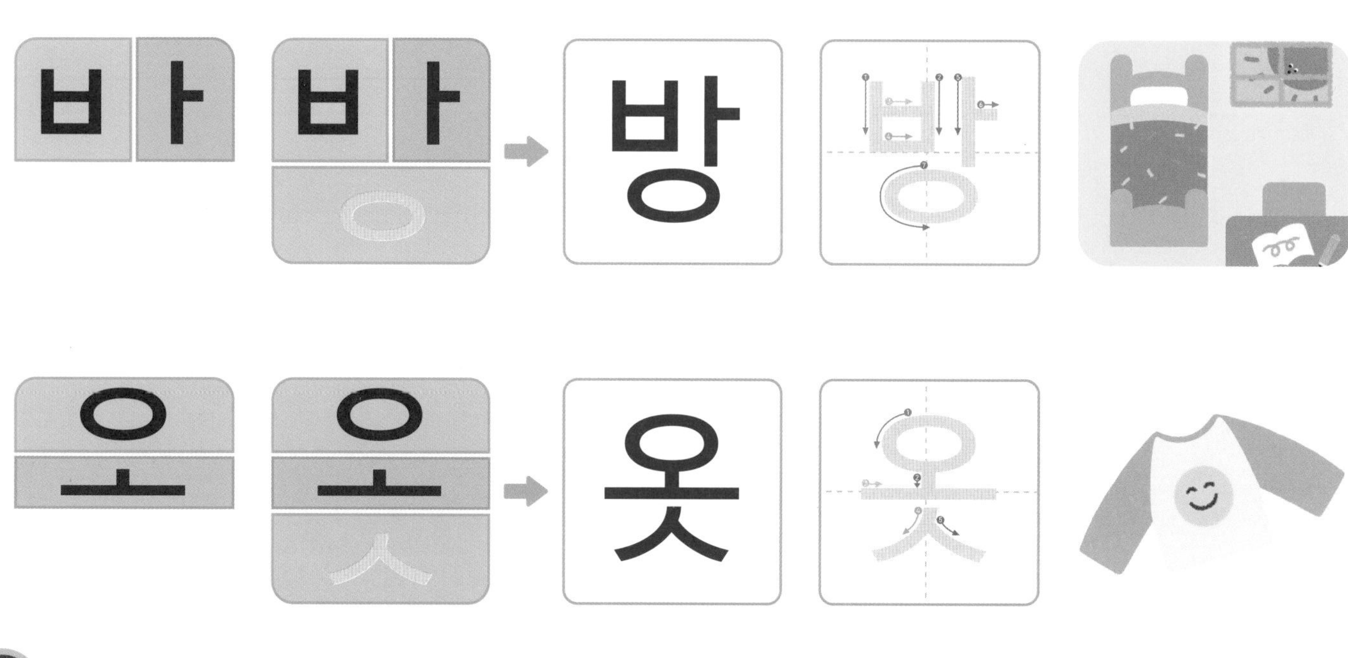

글자 아래에 있는 자음자를 받침이라고 해요. 제일 마지막에 써요.

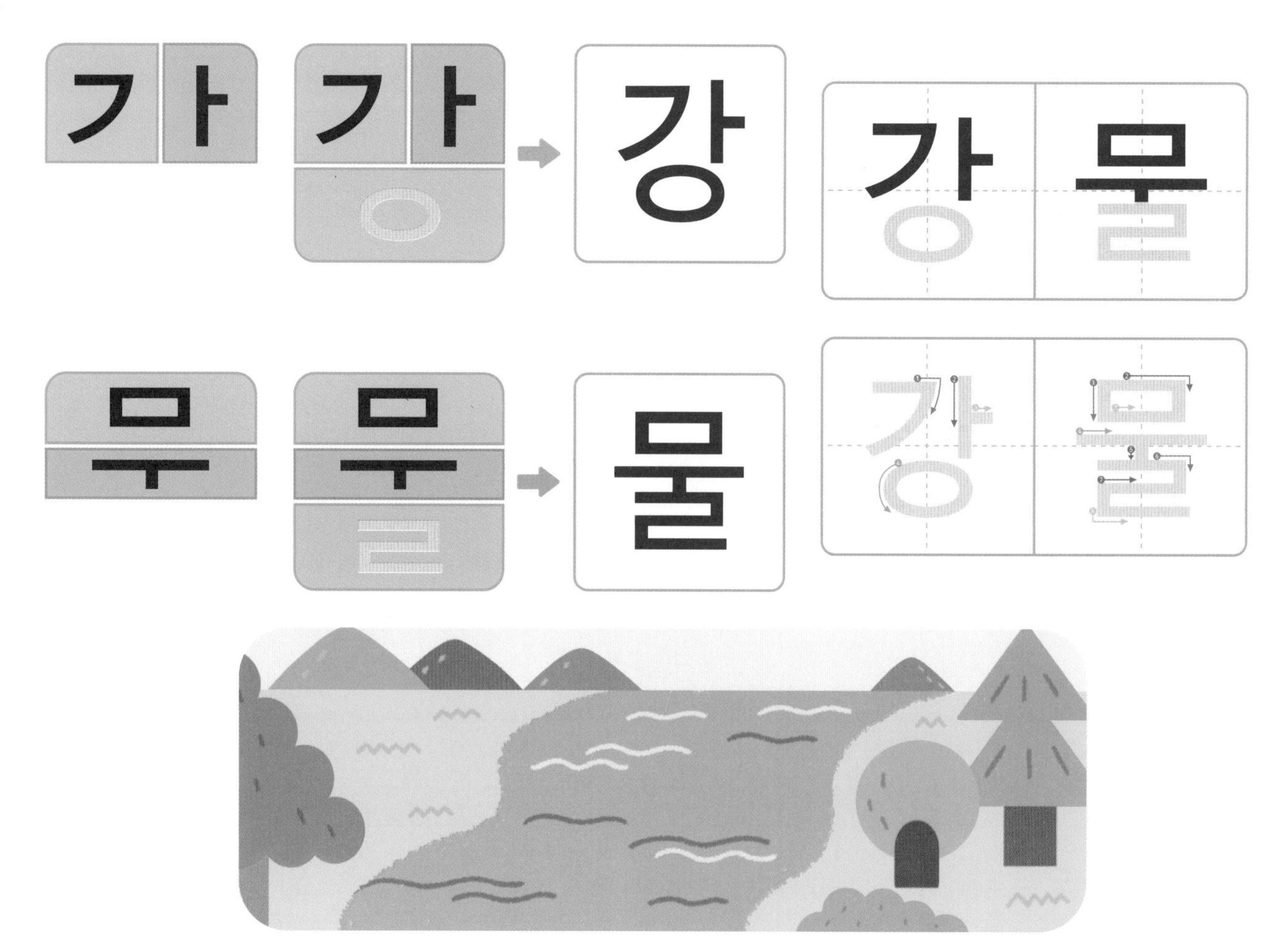

2 받침 글자 찾기

받침이 있는 낱말을 찾아 ○ 하고 아래에 써 보세요.

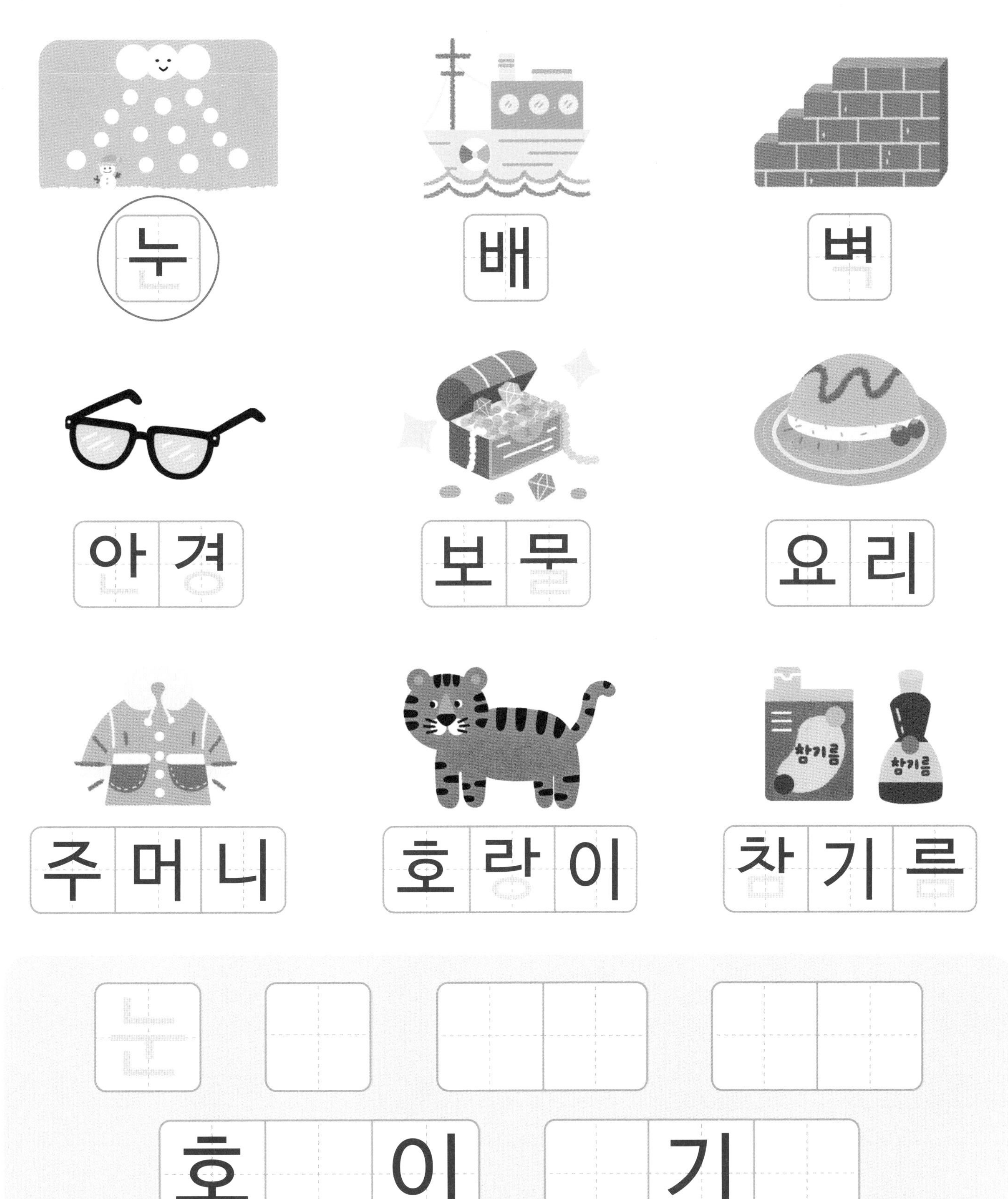

3 받침 글자 만들기

글자 아래에 자음자를 넣어 받침 있는 글자를 써 보세요.

가	나	다	아	자	카
ㄱ	ㄱ	ㄱ	ㄹ	ㄹ	ㄹ
↓	↓	↓	↓	↓	↓
각	낙	닥	알	잘	칼

모	오	토	보	포	호
ㅅ	ㅅ	ㅅ	ㅇ	ㅇ	ㅇ
↓	↓	↓	↓	↓	↓
못	옷	톳	봉	퐁	홍

4 받침 글자 연습

자음자, 모음자, 자음자를 순서대로 모아 받침 있는 글자와 연결하고, 바르게 써 보세요.

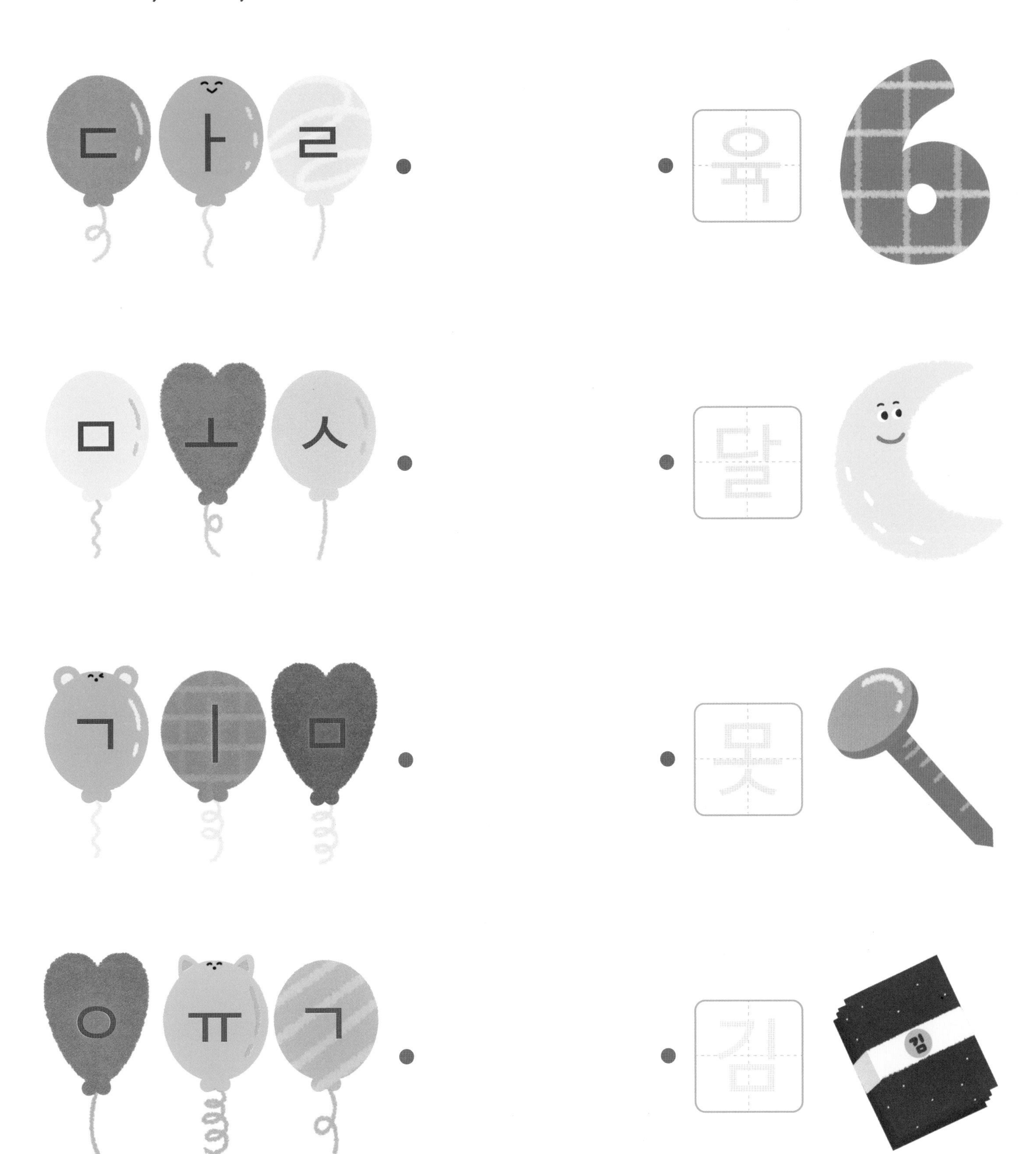

복습 놀이

★ 받침을 넣어 새로운 글자를 만들어 써 보세요.

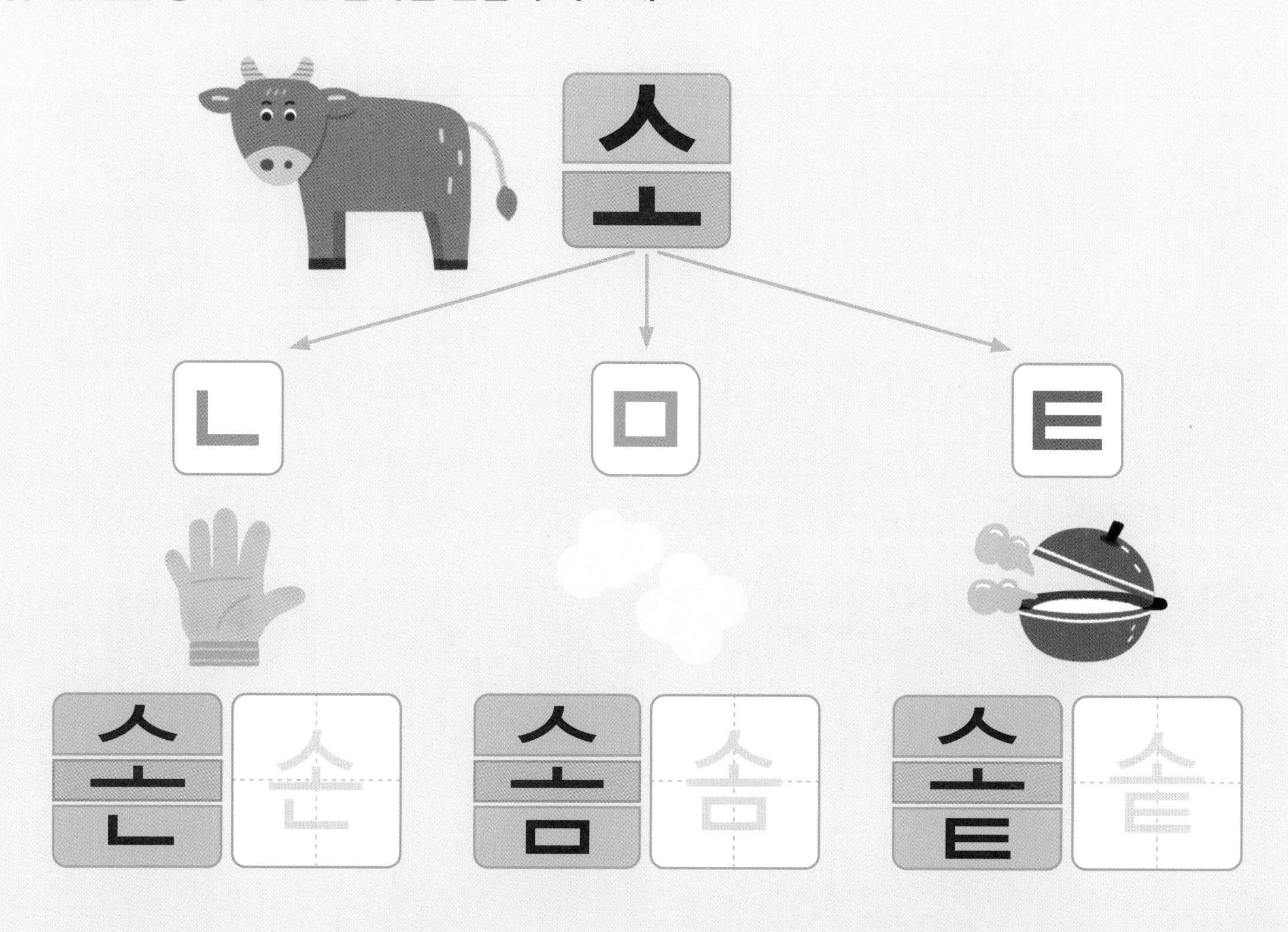

받침을 넣어 전혀 새로운 뜻의 글자를 만들어 써 보세요.

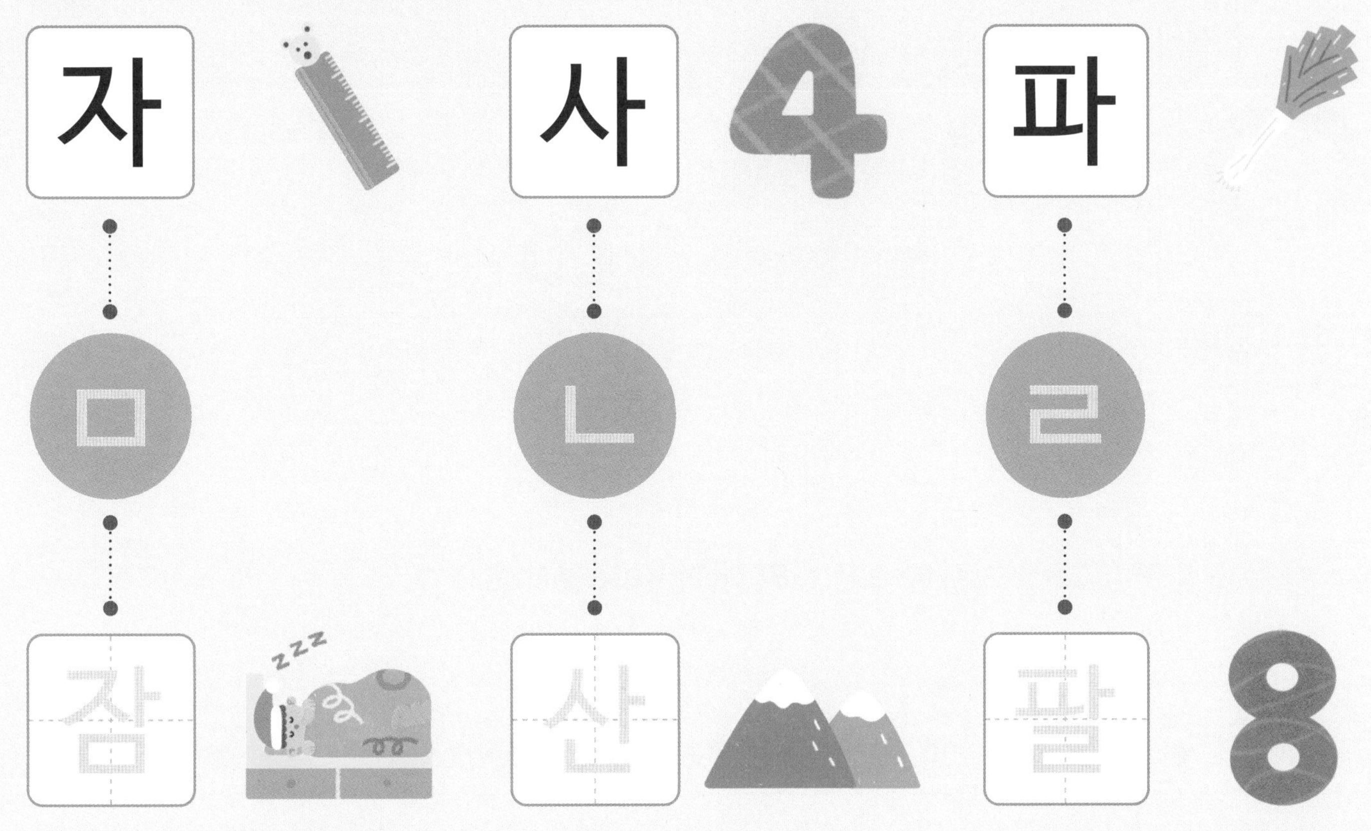

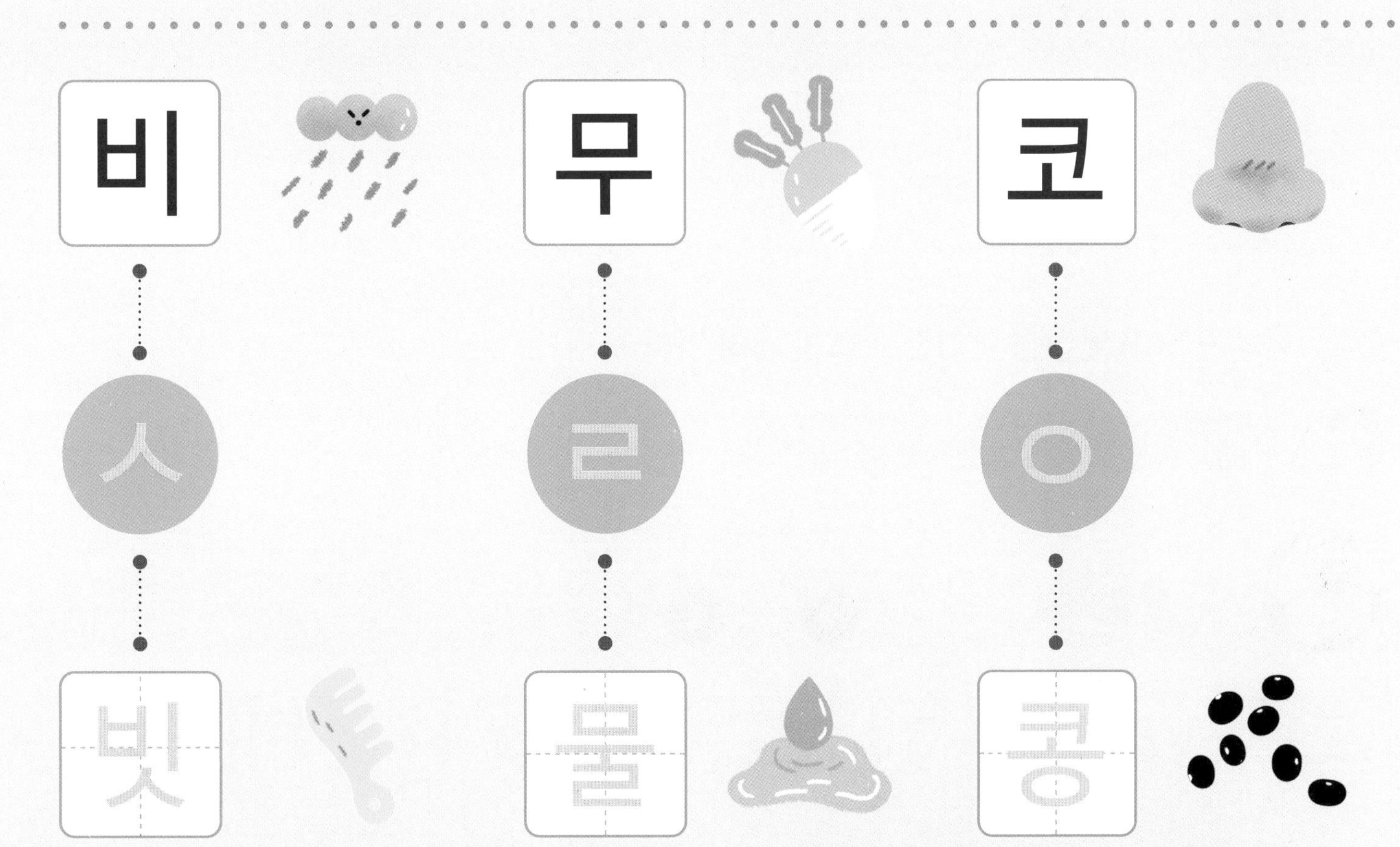

1 ㅇ 받침 글자 만들기

★ ㅇ 받침을 넣어 글자를 완성해 보세요.

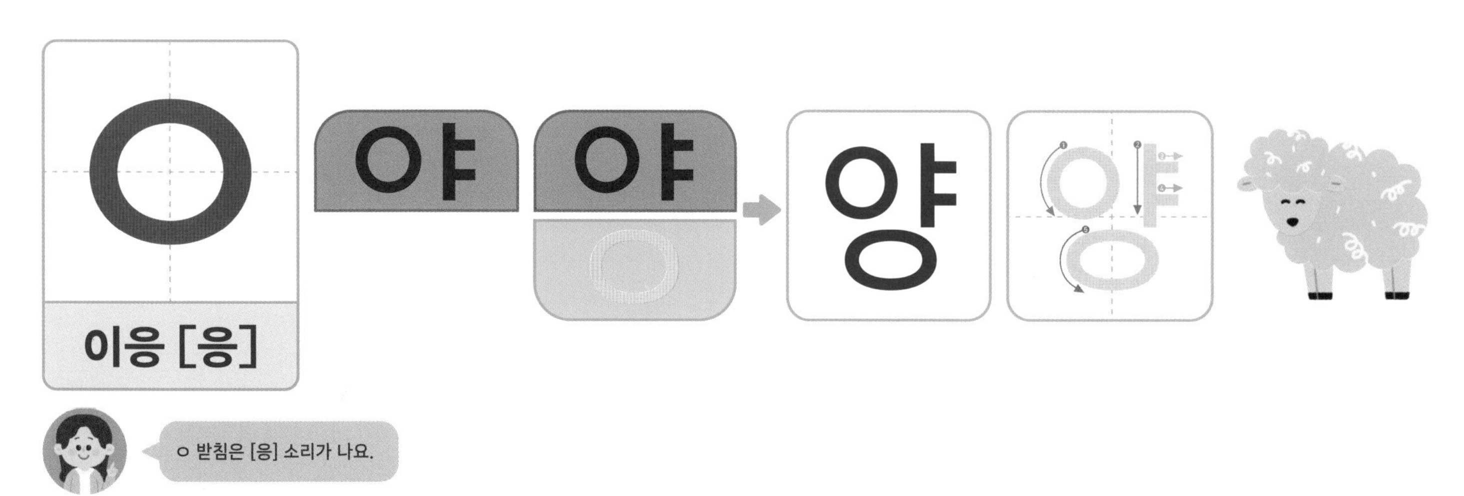

★ ㅇ 받침을 넣어 글자판을 완성하고 소리 내어 읽어 보세요.

가	나	다	라	마	보	소	초	토	포
ㅇ	ㅇ	ㅇ	ㅇ	ㅇ	ㅇ	ㅇ	ㅇ	ㅇ	ㅇ
강					봉				

★ ㅇ 받침을 넣어 낱말을 완성하고 소리 내어 읽어 보세요.

소리 내어 읽으며 음가를 익히면 아주 효과적으로 한글을 뗄 수 있습니다.

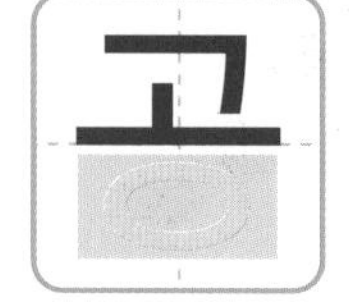

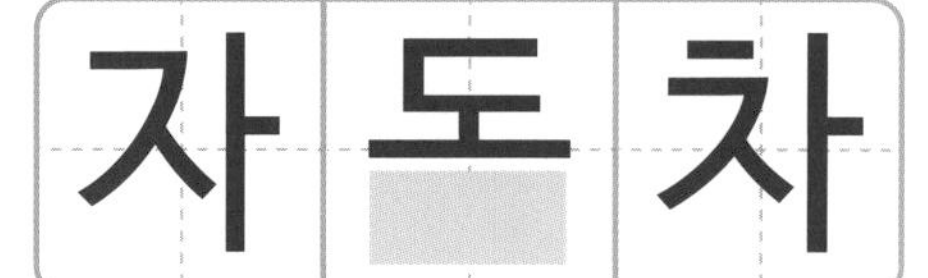

비 해 기

2 ㅇ 받침 낱말 쓰기

★ ㅇ 받침 낱말을 또박또박 써 보세요.

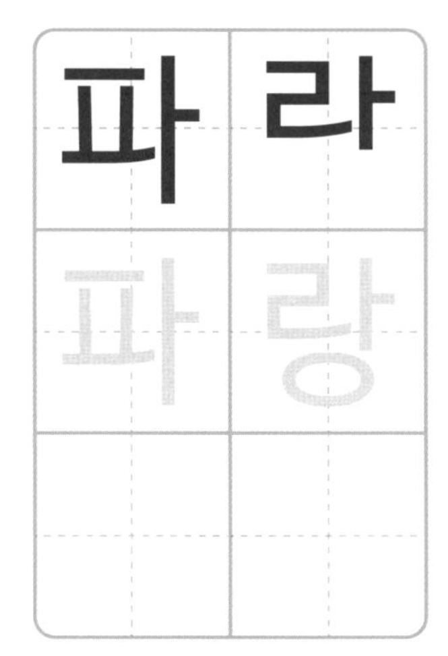

파	라
파	랑

가	아	지
강	아	지

모	래	서
모	래	성

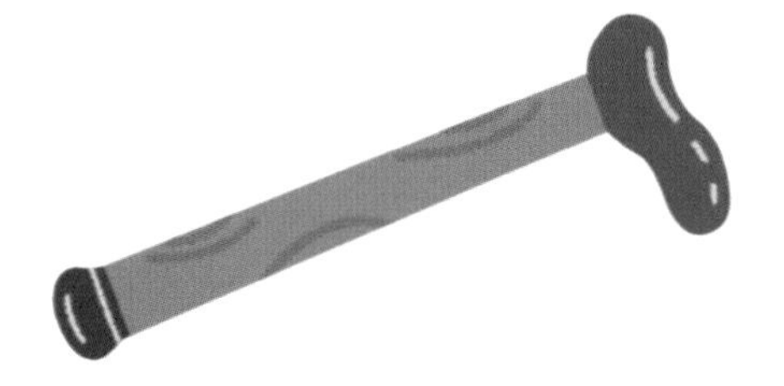

자	미
장	미

지	파	이
지	팡	이

수	여	자
수	영	장

3 ㅁ 받침 글자 만들기

★ ㅁ 받침을 넣어 글자를 완성해 보세요.

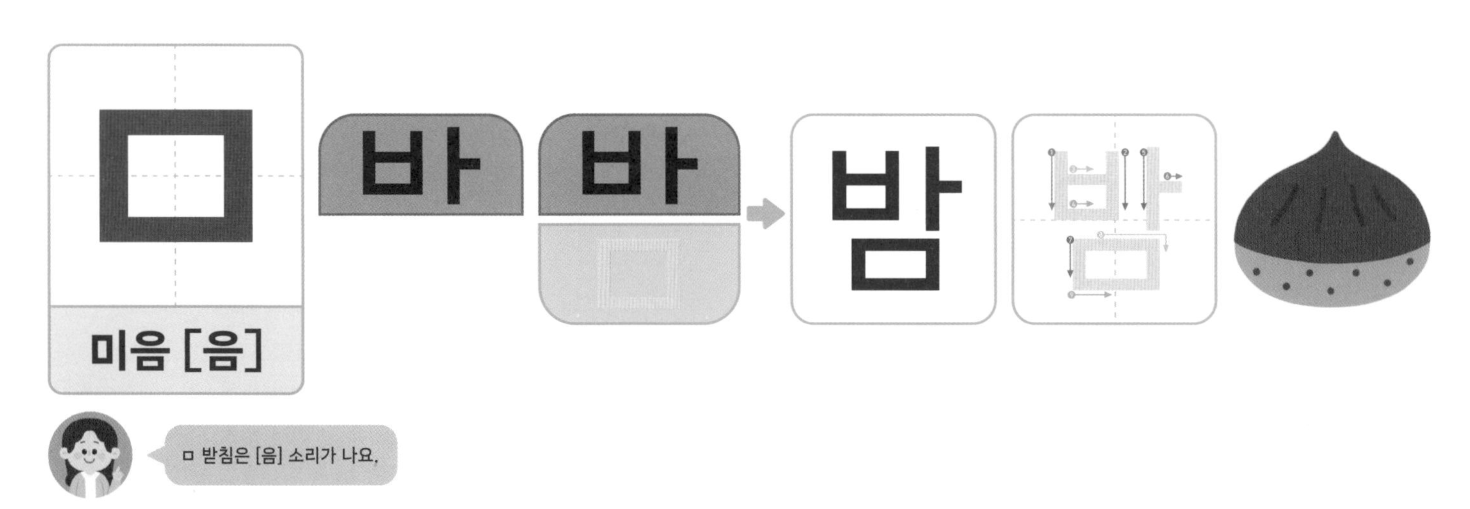

★ ㅁ 받침을 넣어 글자판을 완성하고 소리 내어 읽어 보세요.

가	나	다	라	마	보	소	초	토	포
ㅁ	ㅁ	ㅁ	ㅁ	ㅁ	ㅁ	ㅁ	ㅁ	ㅁ	ㅁ
감					봄				

★ ㅁ 받침을 넣어 낱말을 완성하고 소리 내어 읽어 보세요.

4 ㅁ 받침 낱말 쓰기

★ ㅁ 받침 낱말을 또박또박 써 보세요.

기 치

김치

서 저

서점

차 새

참새

저 시

점심

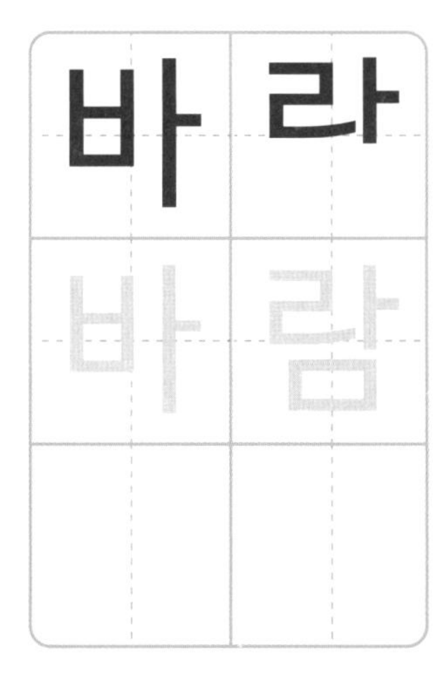

바 라

바람

자 자 리

잠자리

다 라 쥐

다람쥐

복습 놀이

★ 두 낱말에 모두 들어 있는 받침을 찾아 써 보세요.

★ 　　에 ㅇ 받침을 넣어 재미있는 표현을 완성하고 읽어 보세요.

가	랑	가	랑
휘	두	그	레
주	러	주	러
아	자	아	자

가	랑	가	랑
휘		그	레
주		주	
아		아	

실감 나는 말은 표현력을 풍부하게 해 줘요.

★ 　　에 ㅁ 받침을 넣어 재미있는 표현을 완성하고 읽어 보세요.

음	매	음	매
더	드	더	드
성	크	성	크
엉	그	엉	그

	매		매
더		더	
성		성	
엉		엉	

1 ㄴ 받침 글자 만들기

★ ㄴ 받침을 넣어 글자를 완성해 보세요.

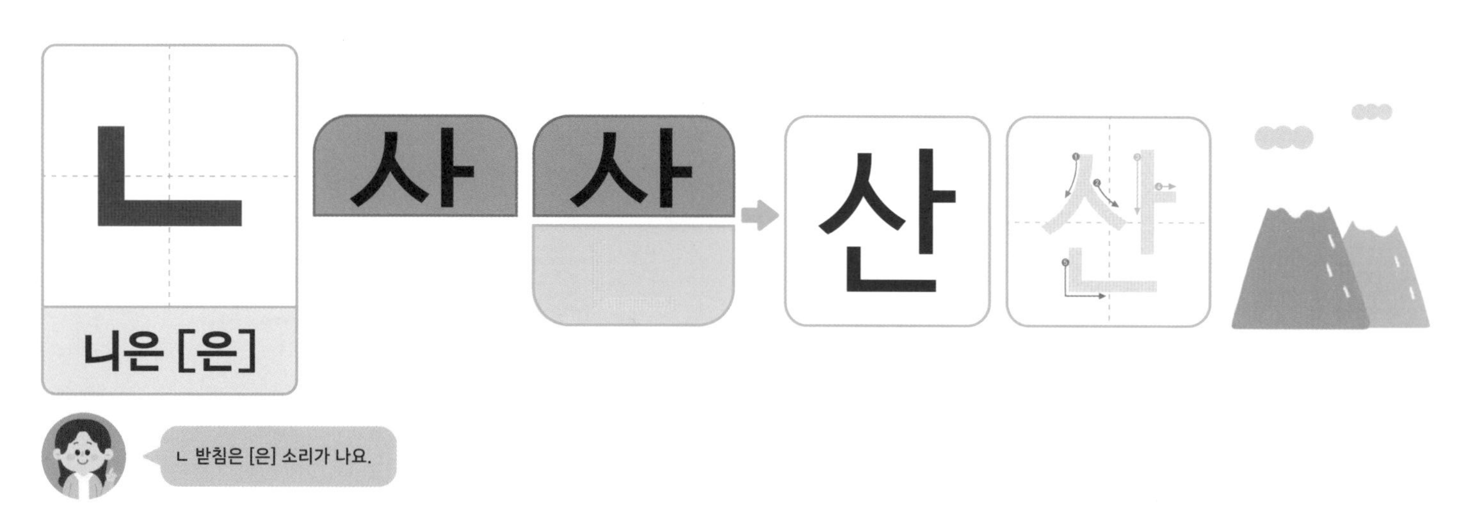

★ ㄴ 받침을 넣어 글자판을 완성하고 소리 내어 읽어 보세요.

가	나	다	라	마	보	소	초	토	포
ㄴ	ㄴ	ㄴ	ㄴ	ㄴ	ㄴ	ㄴ	ㄴ	ㄴ	ㄴ
간					본				

★ ㄴ 받침을 넣어 낱말을 완성하고 소리 내어 읽어 보세요.

★ ㄴ 받침 낱말을 또박또박 써 보세요.

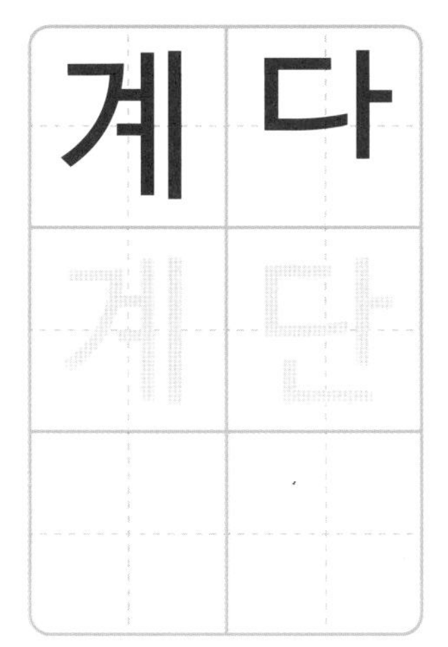
계 다
계 단

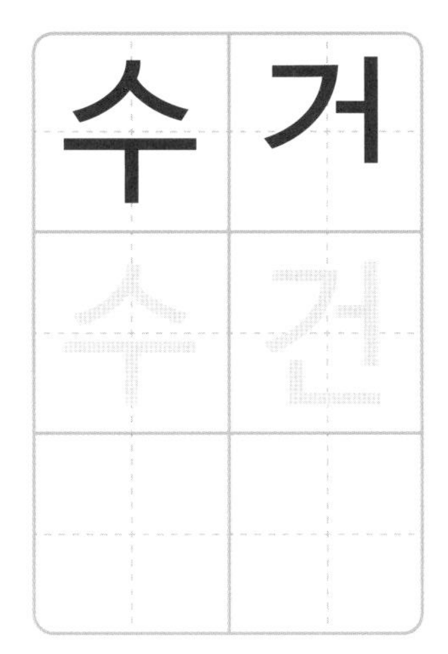
수 거
수 건

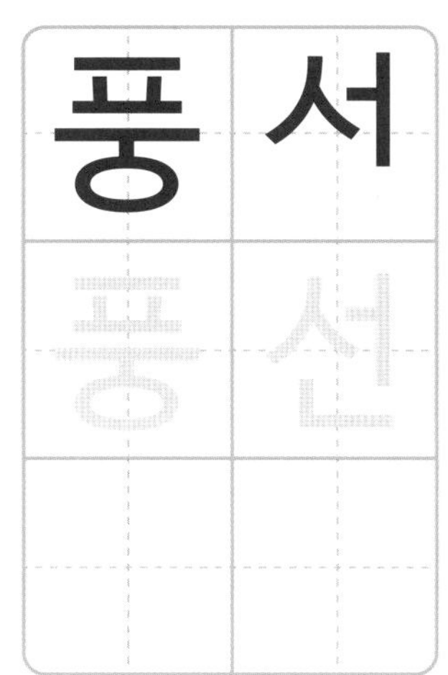
풍 서
풍 선

시 무
신 문

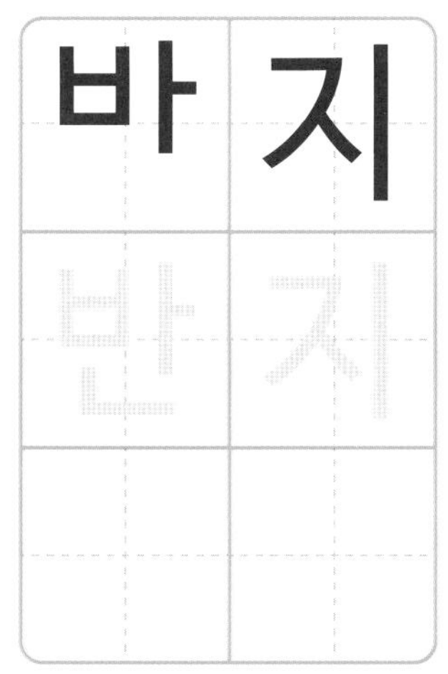
바 지
반 지

자 저 거
자 전 거

우 주 서
우 주 선

3 ㄹ 받침 글자 만들기

ㄹ 받침을 넣어 글자를 완성해 보세요.

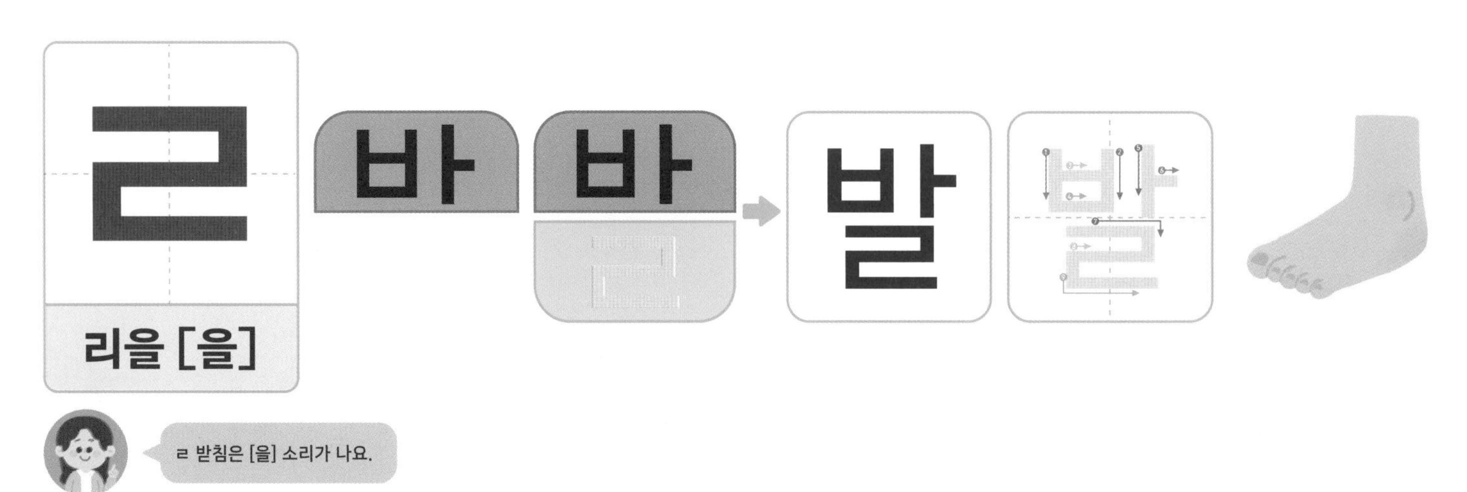

ㄹ 받침을 넣어 글자판을 완성하고 소리 내어 읽어 보세요.

가	나	다	라	마	보	소	초	토	포
ㄹ	ㄹ	ㄹ	ㄹ	ㄹ	ㄹ	ㄹ	ㄹ	ㄹ	ㄹ
갈					볼				

ㄹ 받침을 넣어 낱말을 완성하고 소리 내어 읽어 보세요.

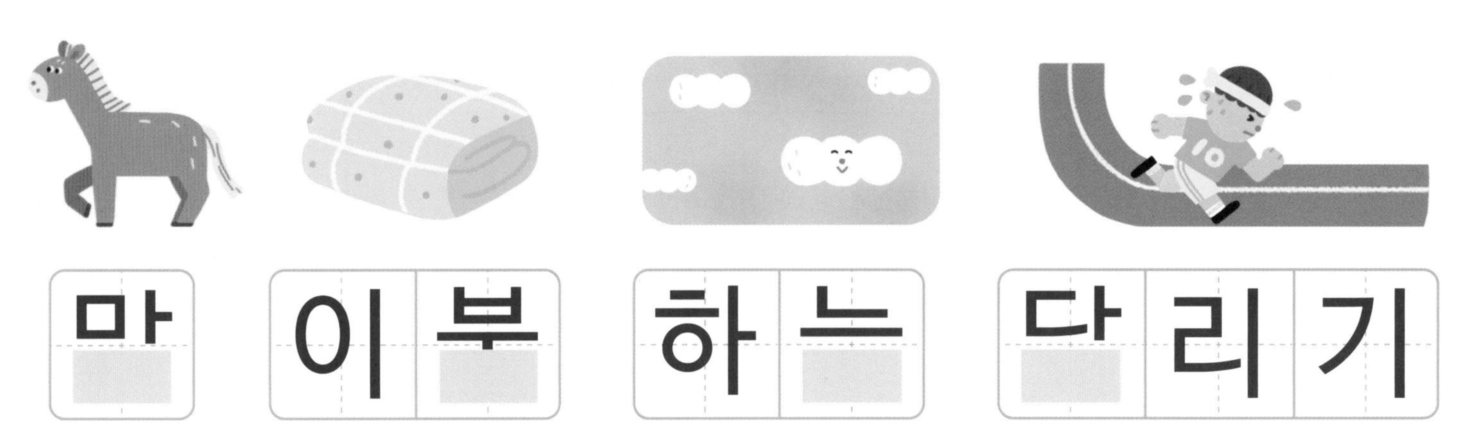

4 ㄹ 받침 낱말 쓰기

★ ㄹ 받침 낱말을 또박또박 써 보세요.

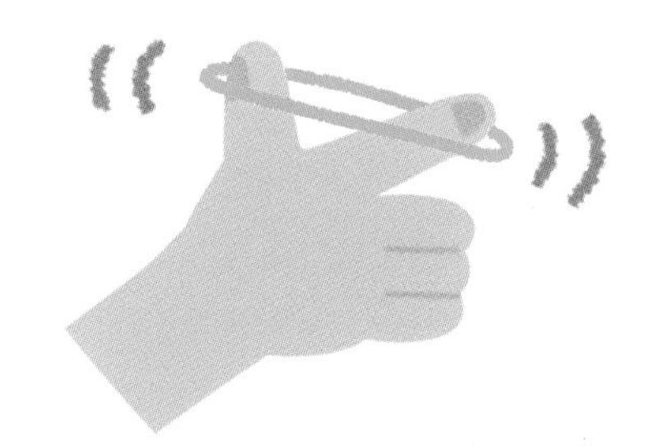

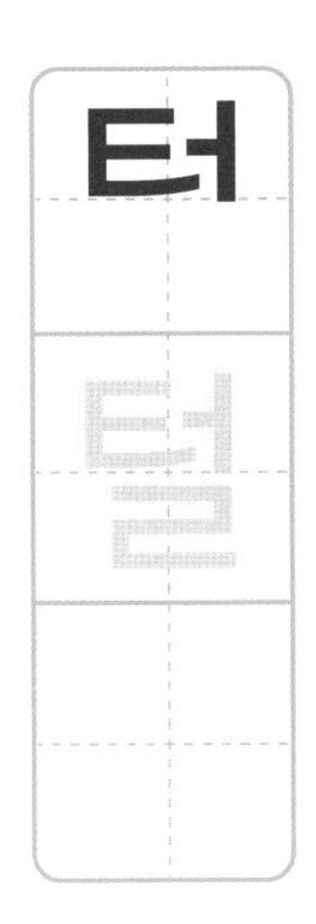

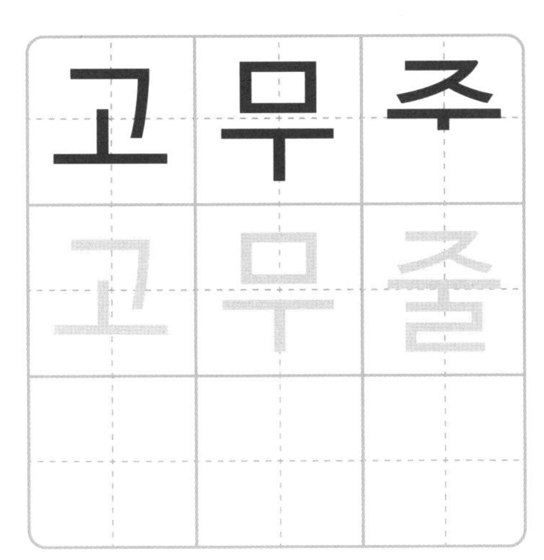

싸	터	고	무	주	무	고	기
쌀	털	고	무	줄	물	고	기

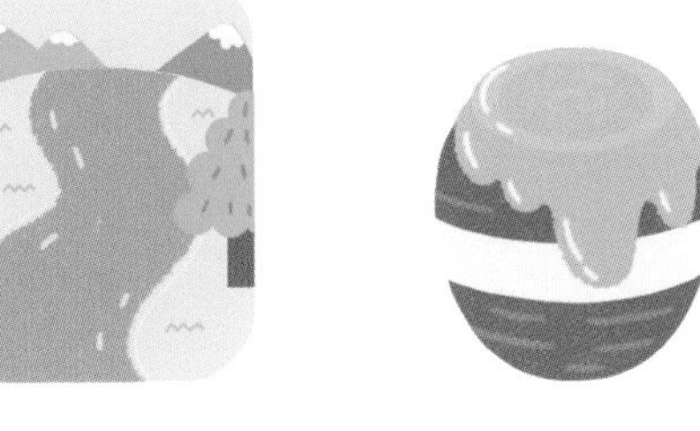

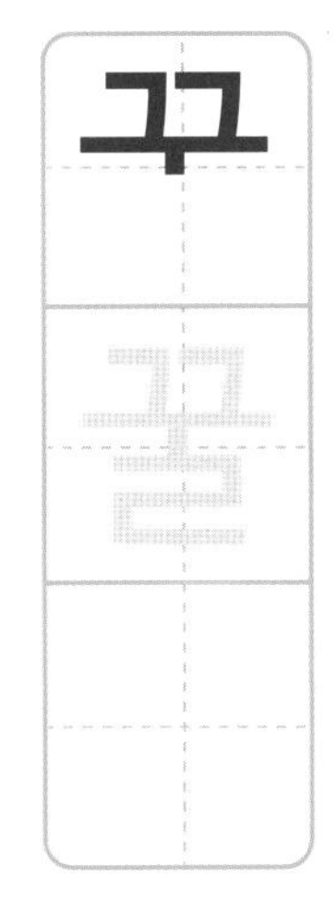

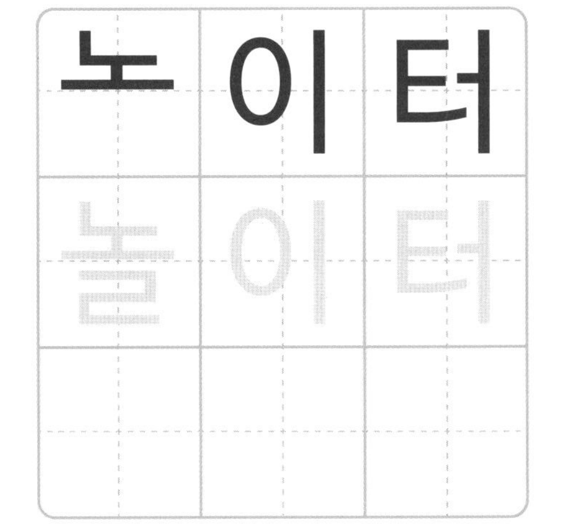

기	꾸	여	쇠	노	이	터
길	꿀	열	쇠	놀	이	터

복습 놀이

★ 그림에 알맞은 글자를 골라 선을 긋고, 낱말을 완성해 보세요.

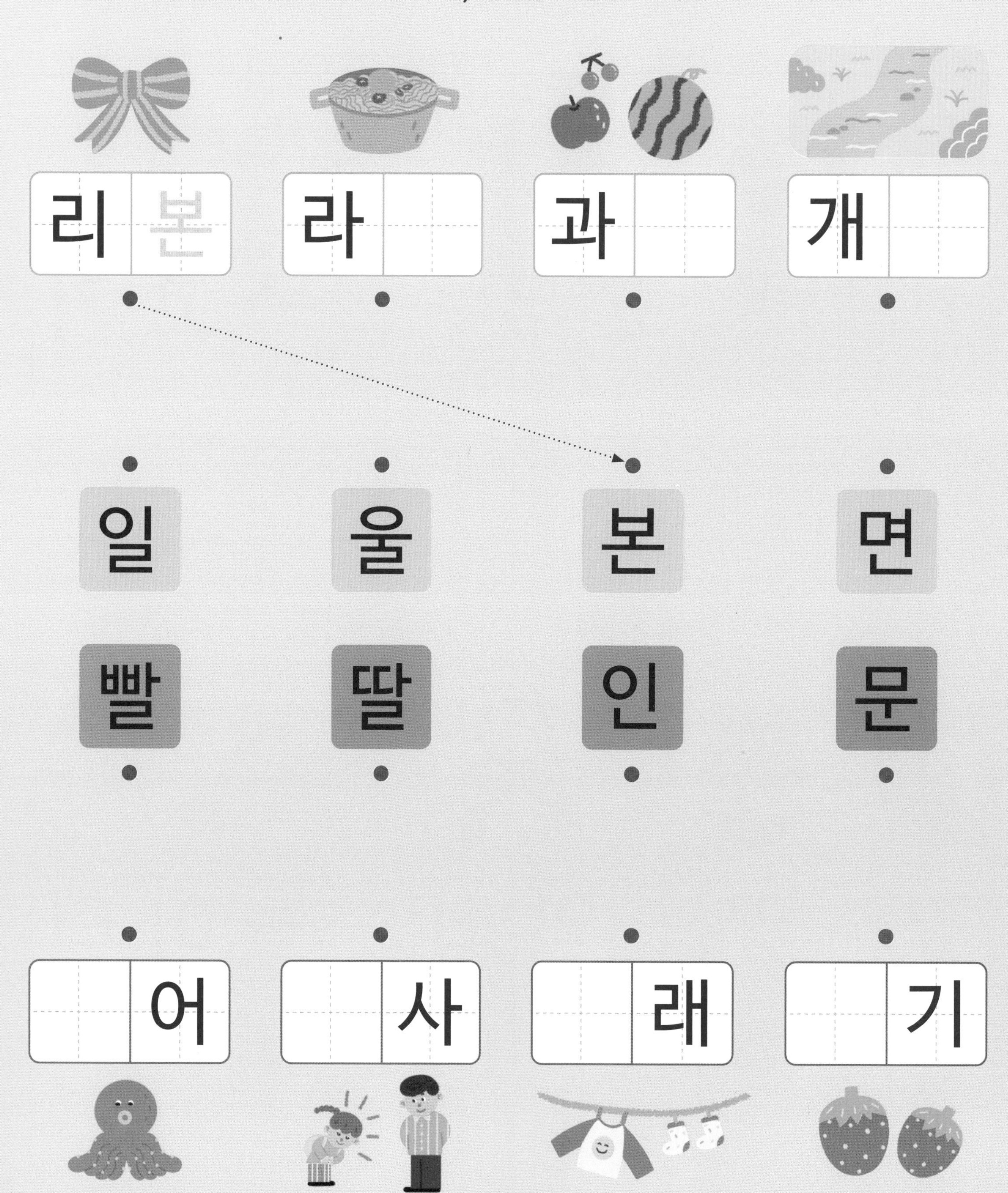

★ 에 ㄴ 받침을 넣어 재미있는 표현을 완성하고 읽어 보세요.

가	마	가	마
차	그	차	그
가	질	가	질
오	소	도	소

가	만	가	만
차		차	
	질		질
오		도	

★ 에 ㄹ 받침을 넣어 재미있는 표현을 완성하고 읽어 보세요.

한	드	한	드
떼	구	떼	구
하	느	하	느
파	랑	파	랑

한		한	
떼		떼	
하		하	
	랑		랑

1 ㄱ 받침 글자 만들기

★ ㄱ 받침을 넣어 글자를 완성해 보세요.

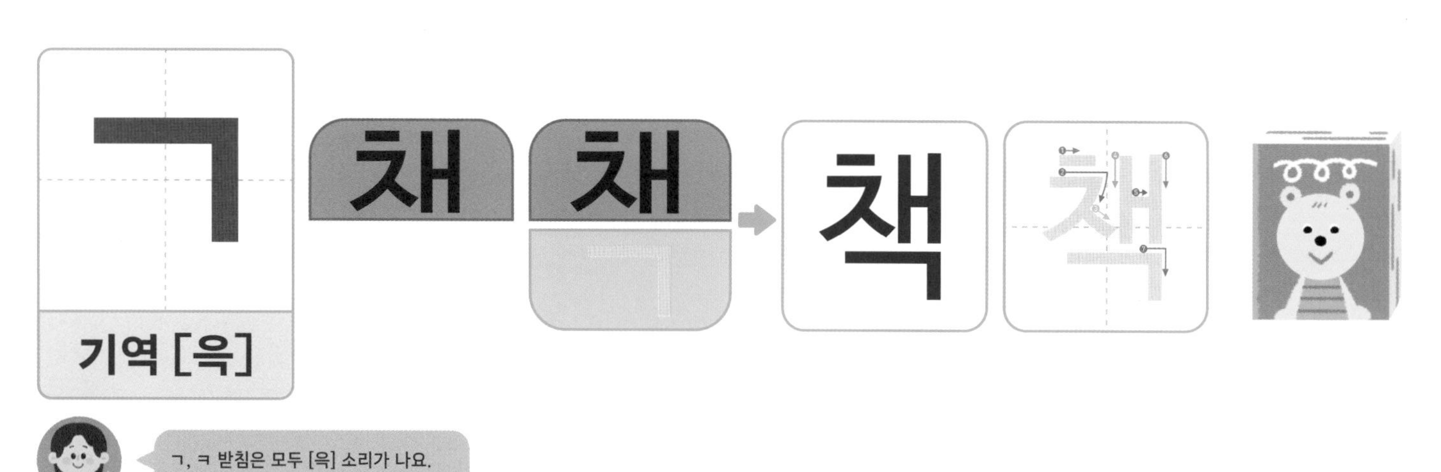

ㄱ, ㅋ 받침은 모두 [윽] 소리가 나요.

★ ㄱ 받침을 넣어 글자판을 완성하고 소리 내어 읽어 보세요.

가	나	다	라	마	보	소	초	토	포
ㄱ	ㄱ	ㄱ	ㄱ	ㄱ	ㄱ	ㄱ	ㄱ	ㄱ	ㄱ
각					복				

★ ㄱ 받침을 넣어 낱말을 완성하고 소리 내어 읽어 보세요.

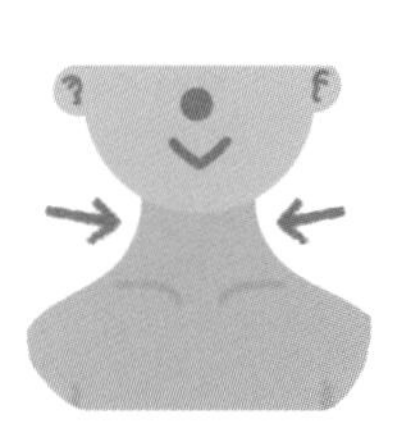

모

가 조

수 바

오 수 수

2 ㄱ 받침 낱말 쓰기

★ ㄱ 받침 낱말을 또박또박 써 보세요.

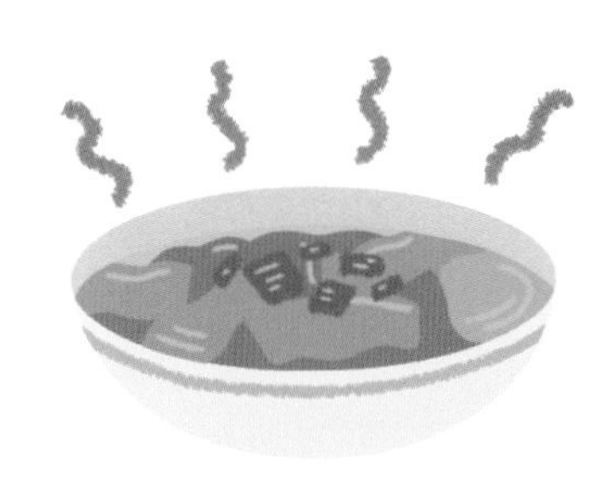

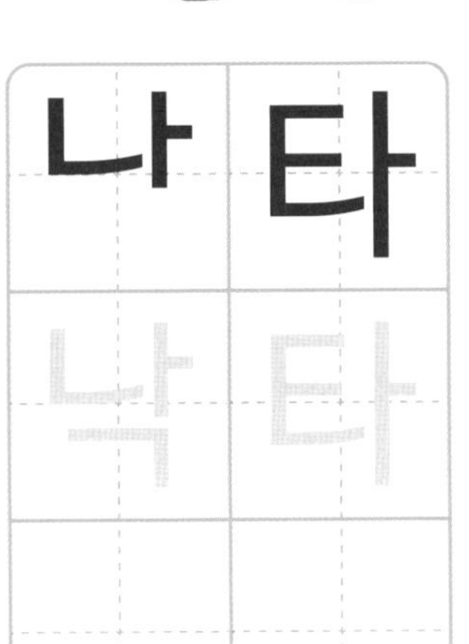

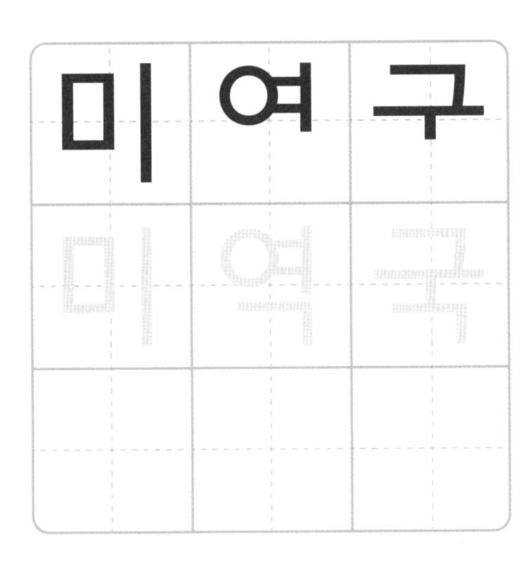

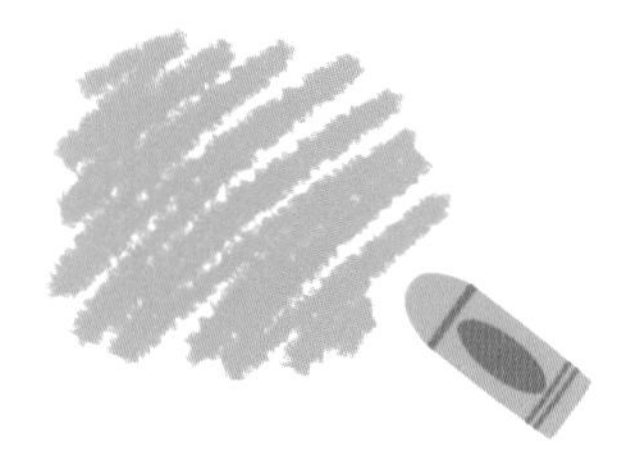

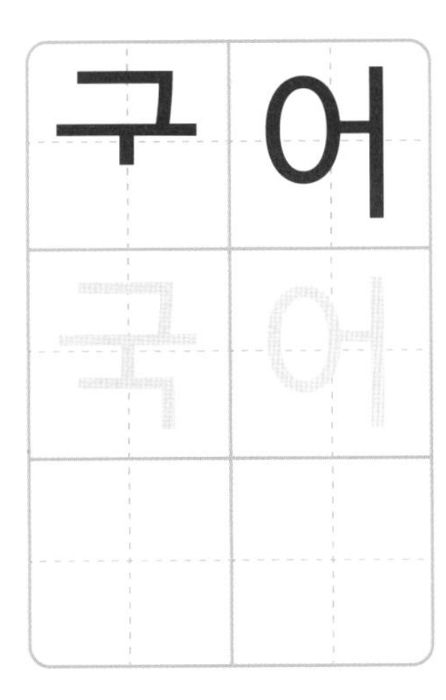

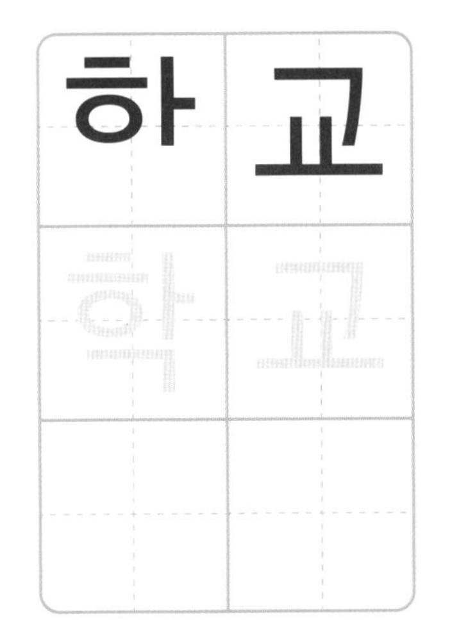

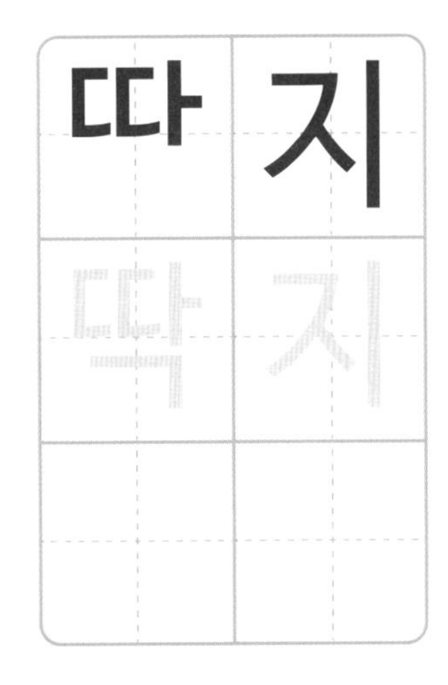

초 로

초 록

3 ㅋ 받침 글자 만들기

ㅋ 받침을 넣어 글자를 완성해 보세요.

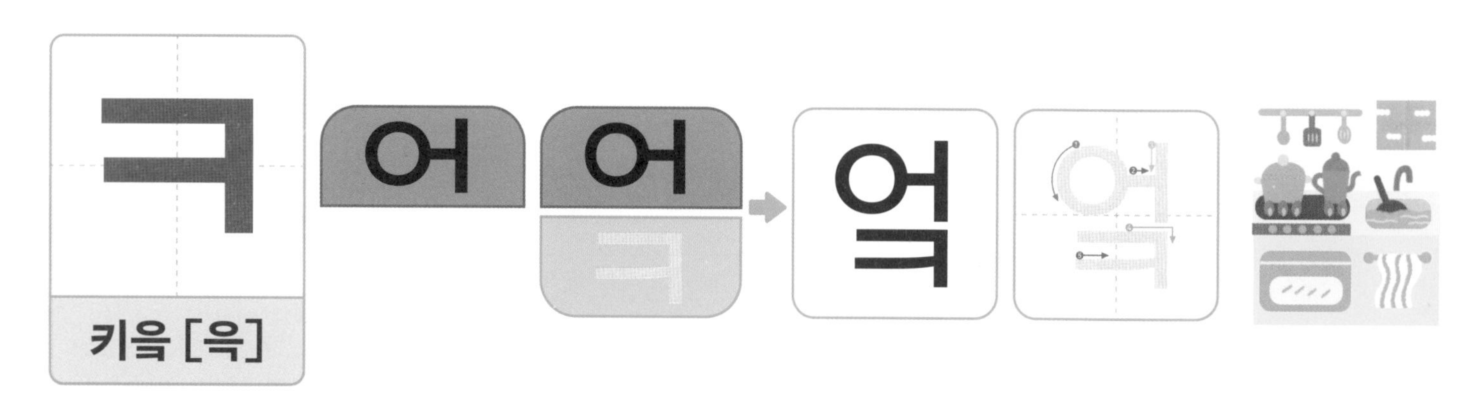

ㅋ 받침을 넣어 글자판을 완성하고 소리 내어 읽어 보세요.

ㅋ 받침을 넣어 낱말을 완성하고 소리 내어 읽어 보세요.

4 ㅋ 받침 낱말 쓰기

★ ㅋ 받침 낱말을 또박또박 써 보세요.

어떤 때를 나타내는 말 '녘'이에요.

새 벽 녀

새 벽 녘

저 물 녀

저 물 녘

방향, 장소를 나타내는 말 '녘'이에요.

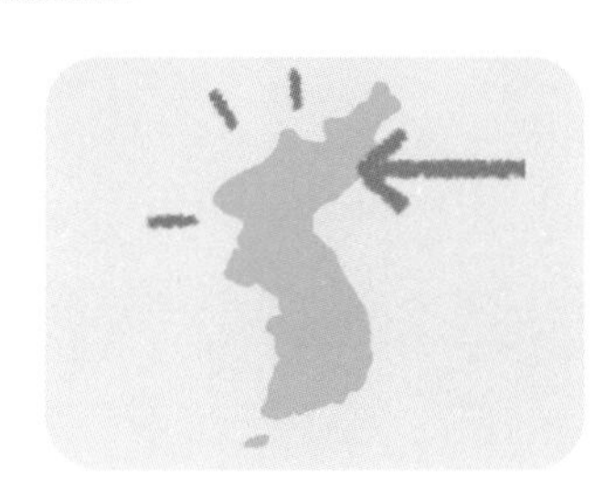

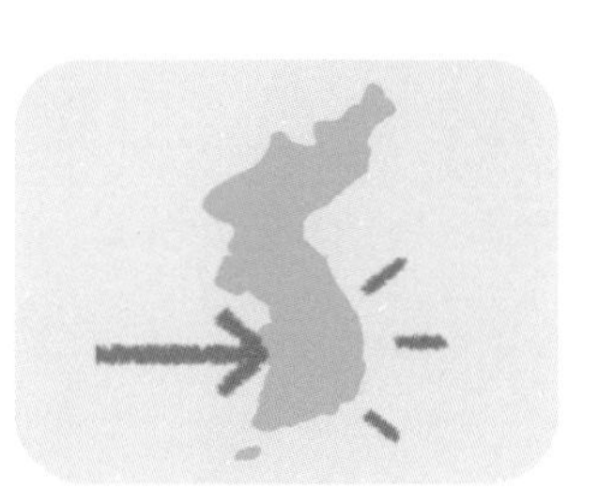

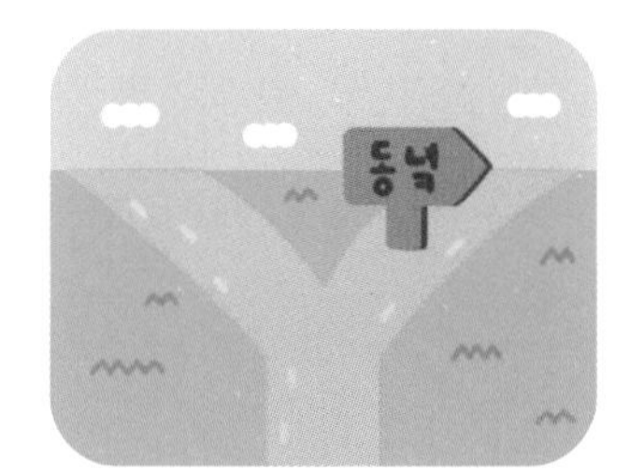

들 녀

들 녘

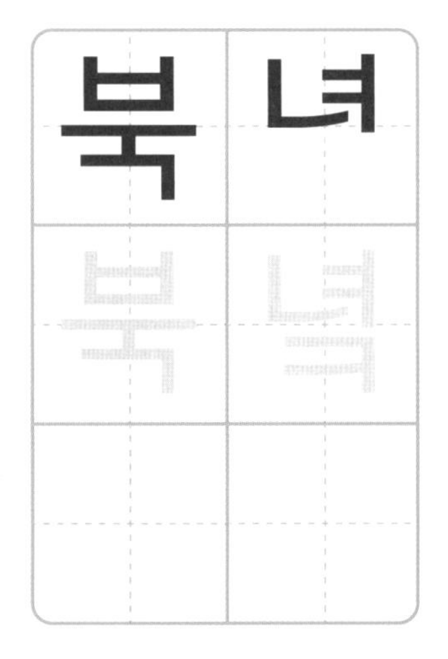

북 녀

북 녘

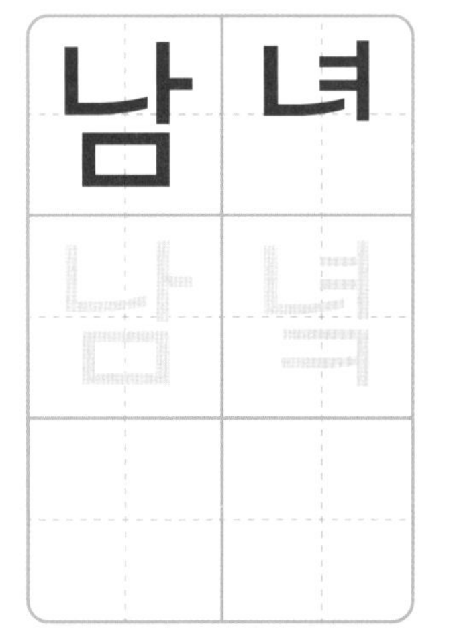

남 녀

남 녘

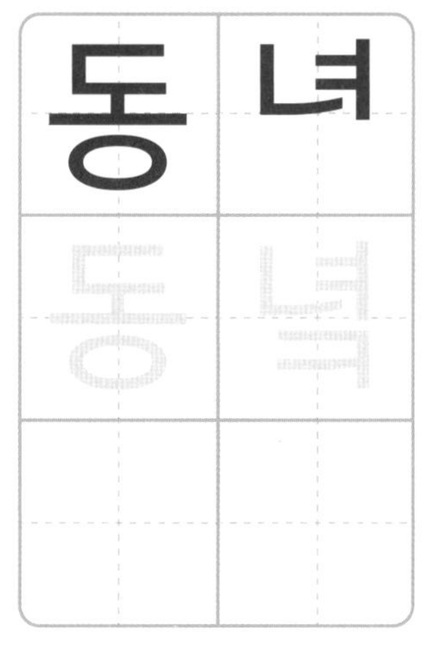

동 녀

동 녘

복습 놀이

★ ㄱ, ㅋ 중 알맞은 받침을 넣어 그림의 낱말을 완성하면서 미로를 따라가 보세요.

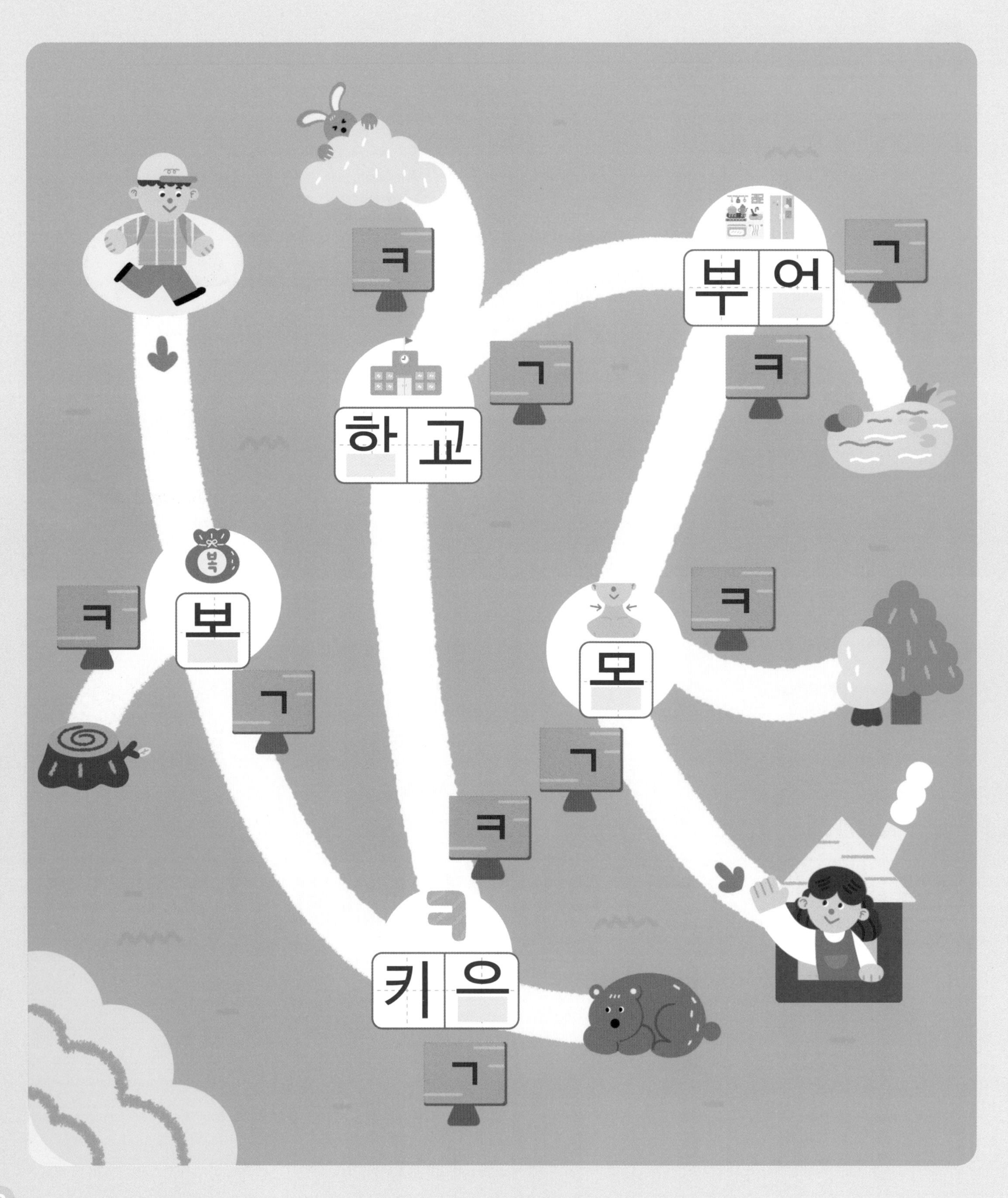

★ 에 ㄱ 받침을 넣어 재미있는 표현을 완성하고 읽어 보세요.

또	박	또	박
키	드	키	드
다	다	다	다
찰	카	찰	카
번	쩌	번	쩌
깜	빠	깜	빠
또	따	또	따

또	박	또	박
키		키	
다		다	
찰		찰	
번		번	
깜		깜	

1 ㅂ 받침 글자 만들기

★ ㅂ 받침을 넣어 글자를 완성해 보세요.

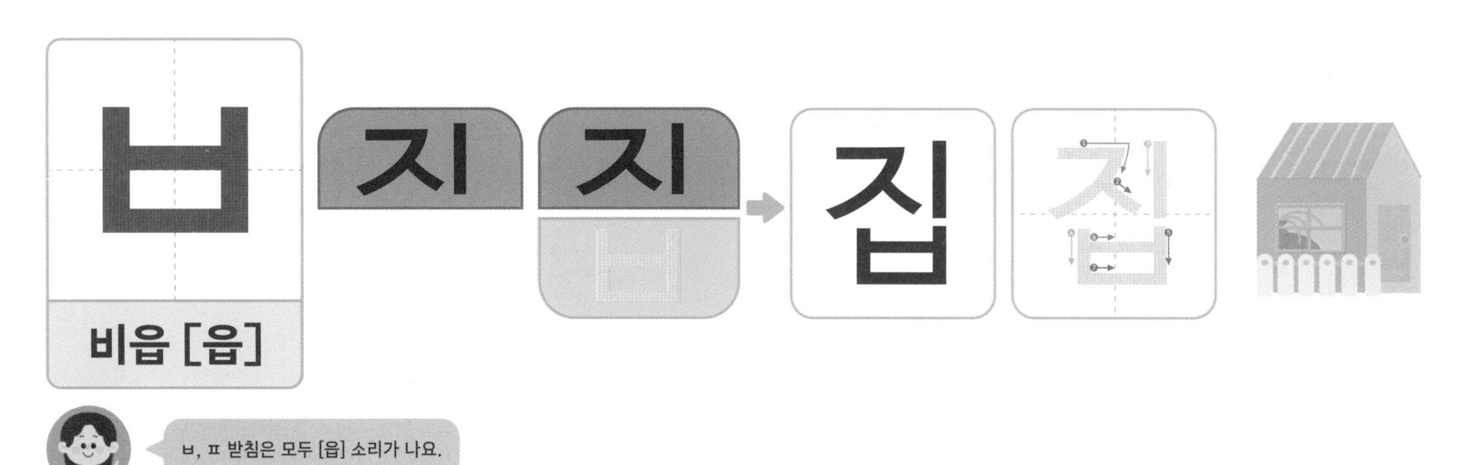

ㅂ, ㅍ 받침은 모두 [읍] 소리가 나요.

★ ㅂ 받침을 넣어 글자판을 완성하고 소리 내어 읽어 보세요.

가	나	다	라	마	보	소	초	토	포
ㅂ	ㅂ	ㅂ	ㅂ	ㅂ	ㅂ	ㅂ	ㅂ	ㅂ	ㅂ
갑					봅				

★ ㅂ 받침을 넣어 낱말을 완성하고 소리 내어 읽어 보세요.

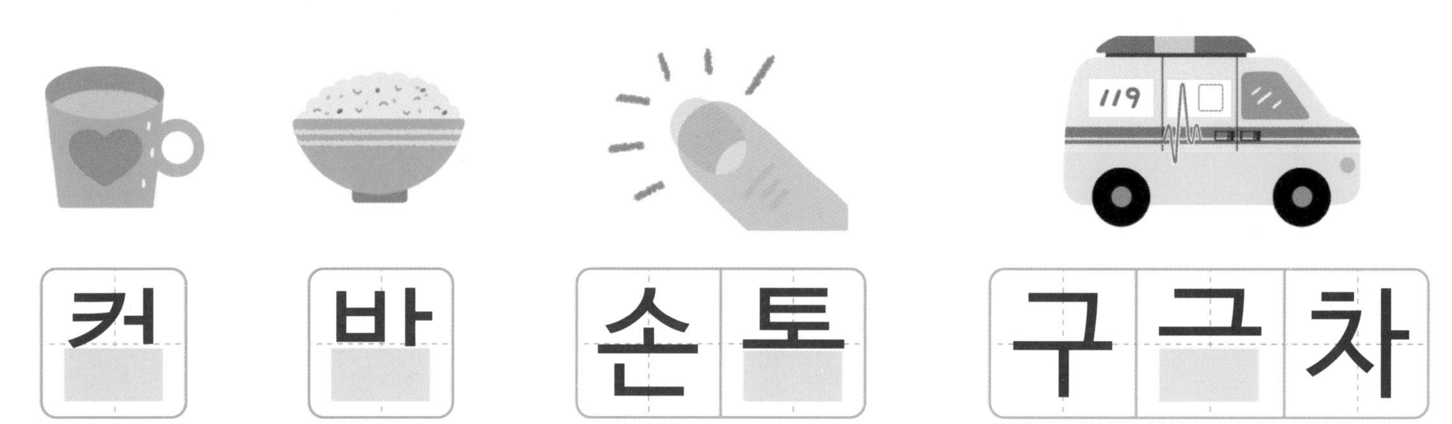

2 ㅂ 받침 낱말 쓰기

ㅂ 받침 낱말을 또박또박 써 보세요.

이	술
입	술

서	라
서	랍

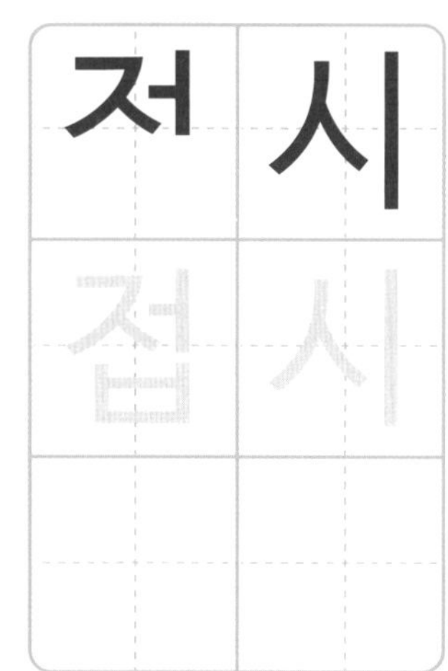

저	시
접	시

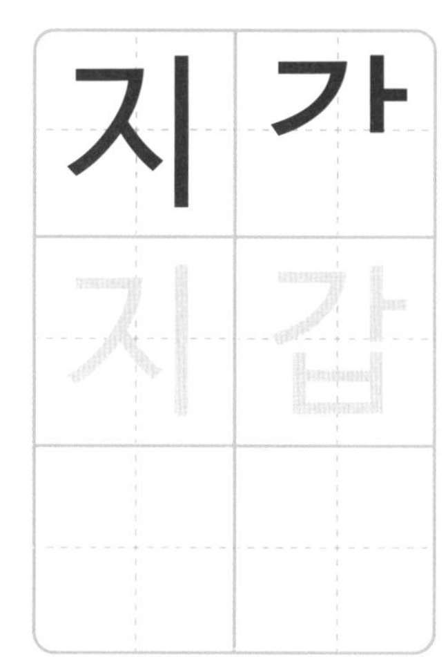

지	가
지	갑

자	다
잡	다

뜨	거	다
뜨	겁	다

무	서	다
무	섭	다

3 ㅍ 받침 글자 만들기

ㅍ 받침을 넣어 글자를 완성해 보세요.

ㅍ 받침을 넣어 글자판을 완성하고 소리 내어 읽어 보세요.

아	어	여	이	기	지	노	수	느	르
ㅍ	ㅍ	ㅍ	ㅍ	ㅍ	ㅍ	ㅍ	ㅍ	ㅍ	ㅍ
앞					짚				

ㅍ 받침을 넣어 낱말을 완성하고 소리 내어 읽어 보세요.

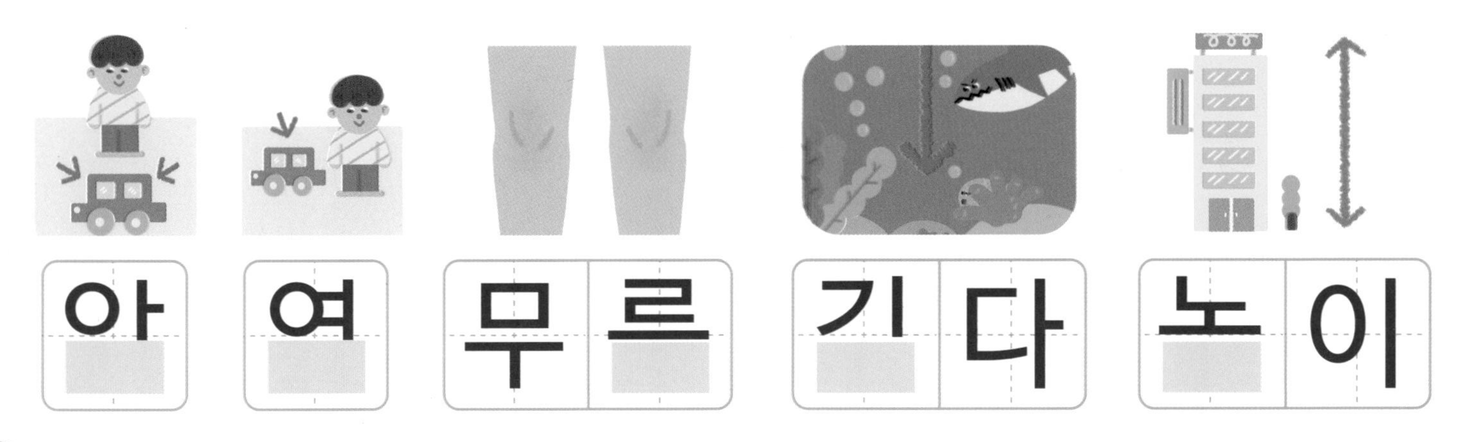

4 ㅍ 받침 낱말 쓰기

★ ㅍ 받침 낱말을 또박또박 써 보세요.

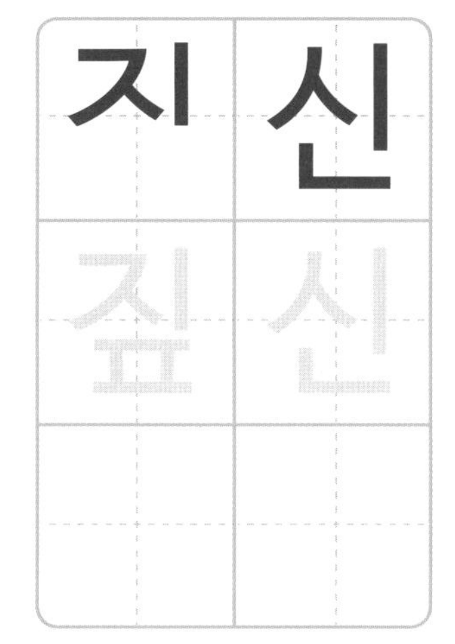

지	신
짚	신

느	지	대
늪	지	대

아	치	마
앞	치	마

밀	지	모	자
밀	짚	모	자

어	드	리	다
엎	드	리	다

복습 놀이

★ 받침이 다르지만 소리가 같은 낱말입니다.
그림에 알맞은 받침을 넣어 낱말을 쓰고 읽어 보세요.

받침

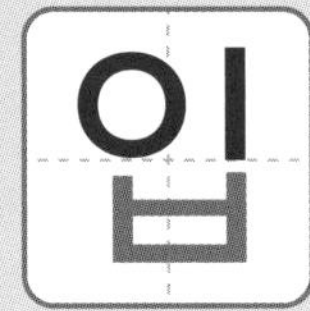

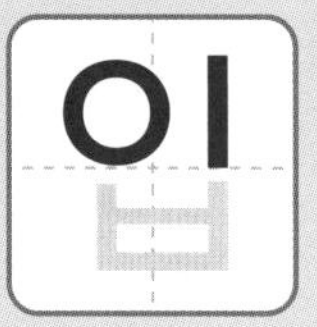

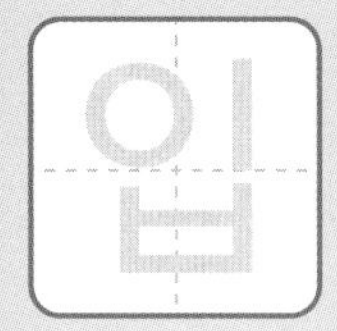

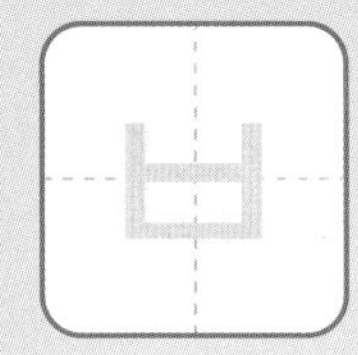

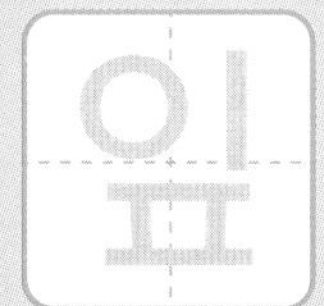

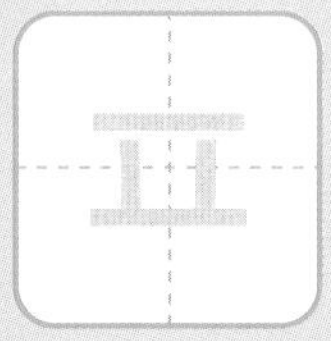

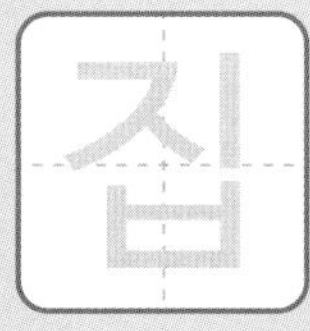

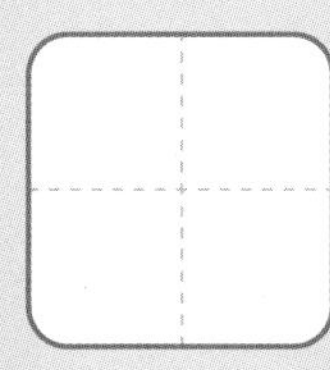

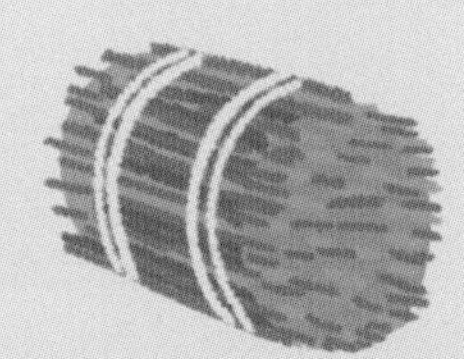

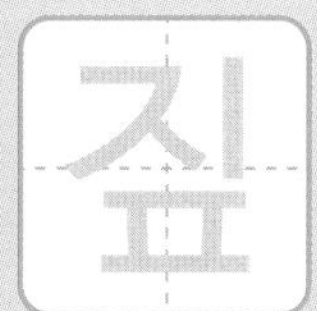

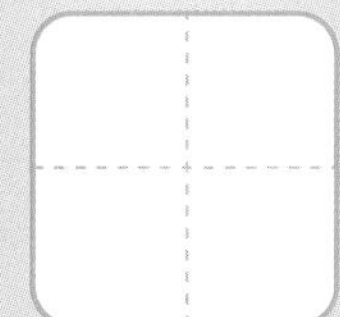

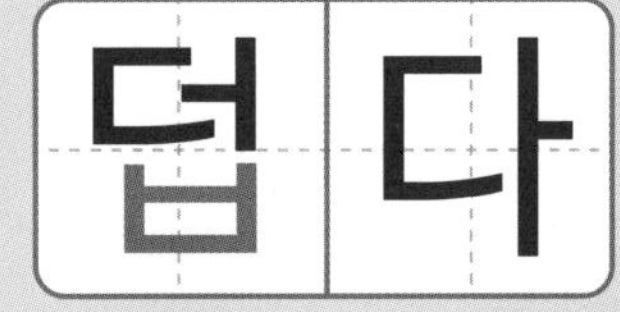

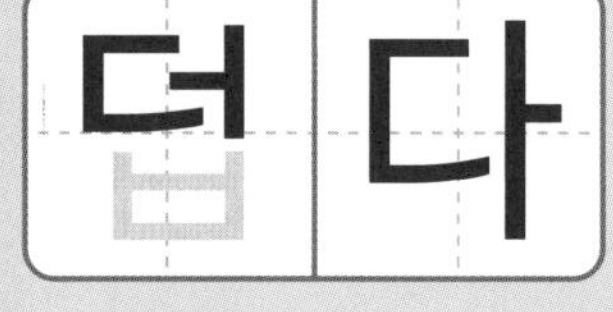

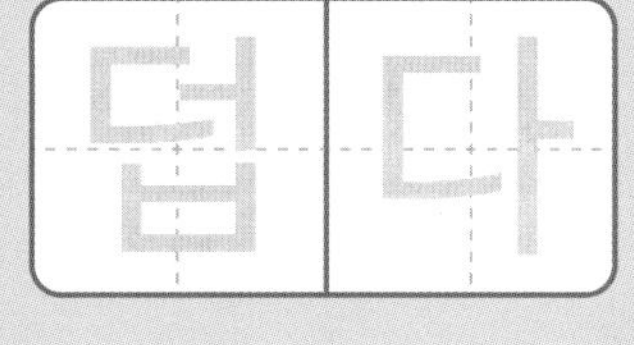

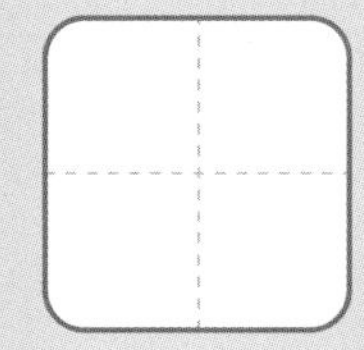

덮다
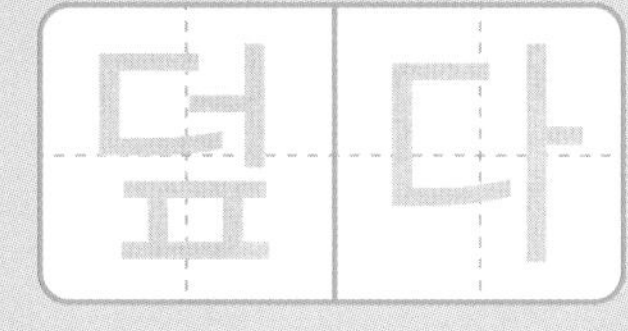

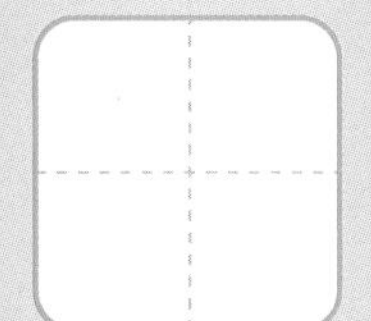

업다
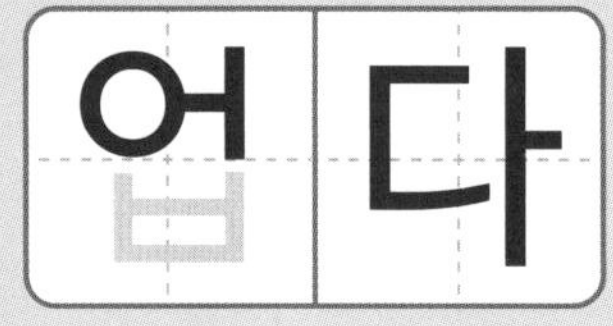

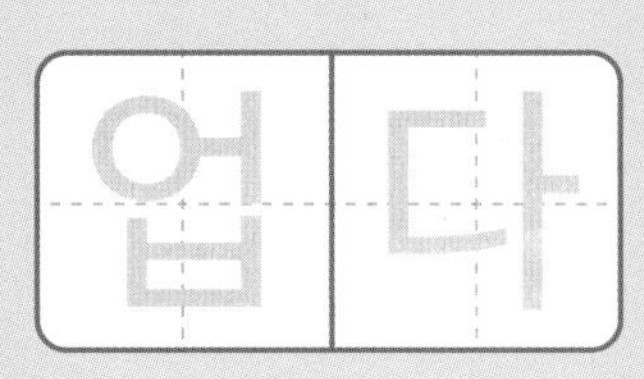

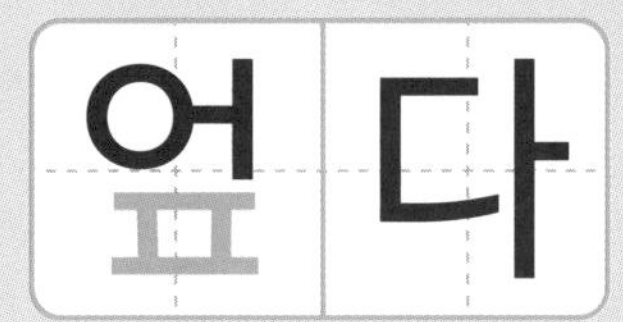

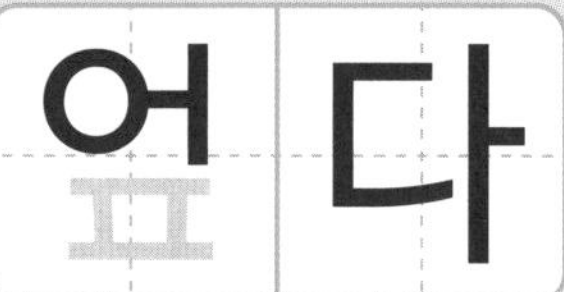

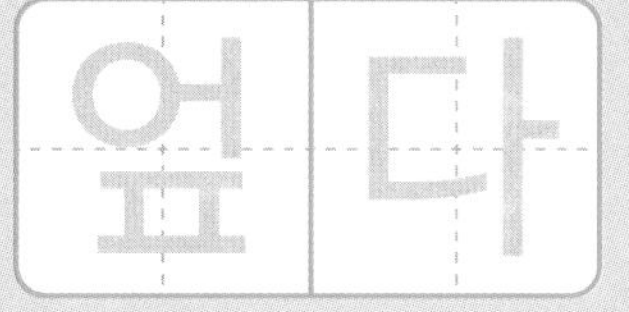

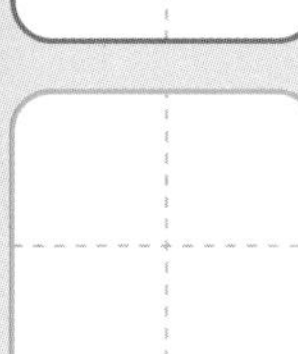

에 ㅂ 받침을 넣어 재미있는 표현을 완성하고 읽어 보세요.

쩌	쩌	쩌	
구	이	구	이
나	작	나	작
허	거	지	거

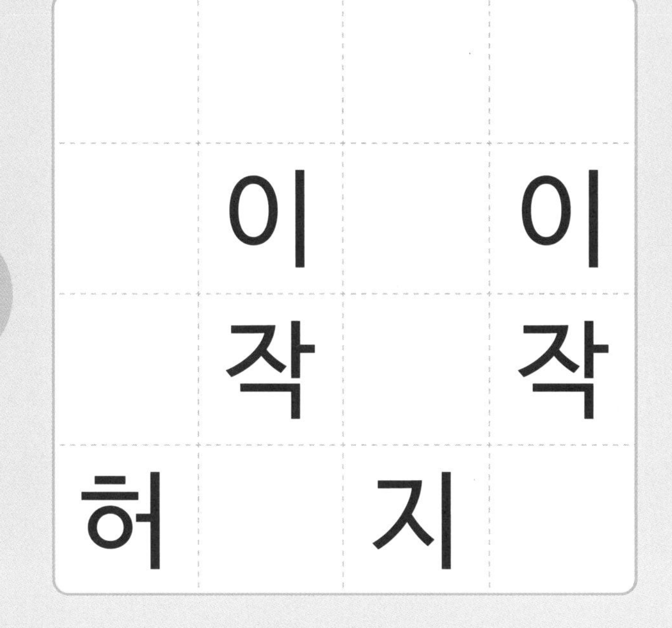

	이		이
	작		작
허		지	

에 ㅍ 받침을 넣어 재미있는 표현을 완성하고 읽어 보세요.

노	이	노	이
기	이	기	이
여	에	여	에

	이		이
	이		이
	에		에

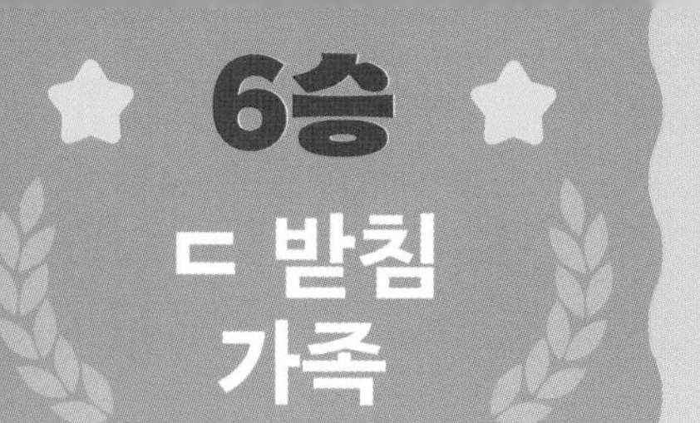

1 ㄷ 받침 글자 만들기

★ ㄷ 받침을 넣어 글자를 완성해 보세요.

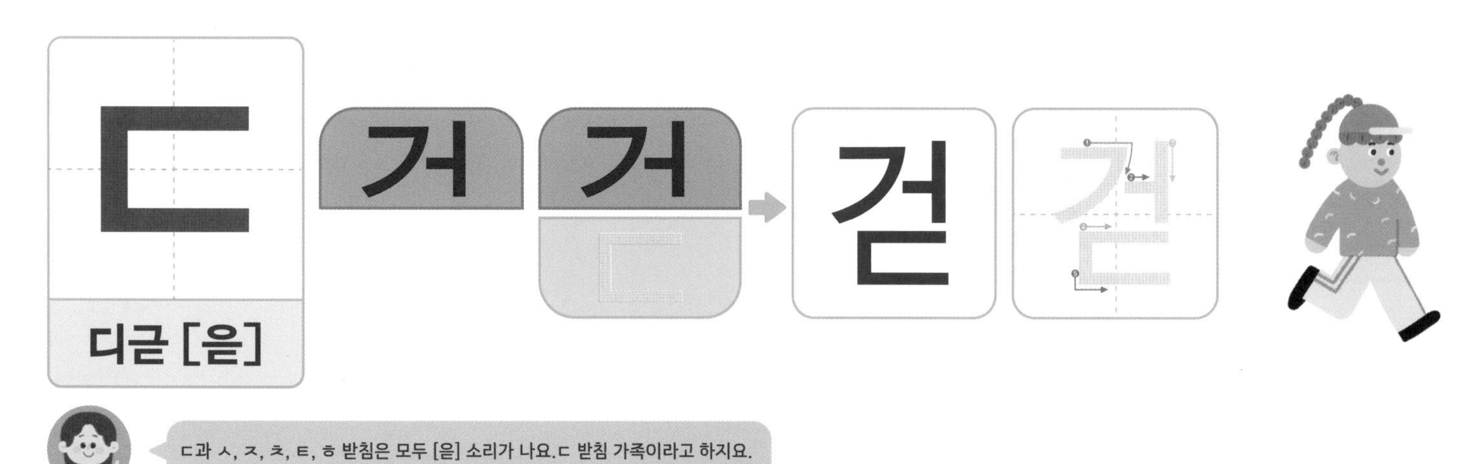

ㄷ과 ㅅ, ㅈ, ㅊ, ㅌ, ㅎ 받침은 모두 [읃] 소리가 나요. ㄷ 받침 가족이라고 하지요.

★ ㄷ 받침을 넣어 글자판을 완성하고 소리 내어 읽어 보세요.

가	나	다	라	마	보	소	초	토	포
ㄷ	ㄷ	ㄷ	ㄷ	ㄷ	ㄷ	ㄷ	ㄷ	ㄷ	ㄷ
갇					볻				

★ ㄷ 받침을 넣어 낱말을 완성하고 소리 내어 읽어 보세요.

2 ㄷ 받침 낱말 쓰기

★ ㄷ 받침 낱말을 또박또박 써 보세요.

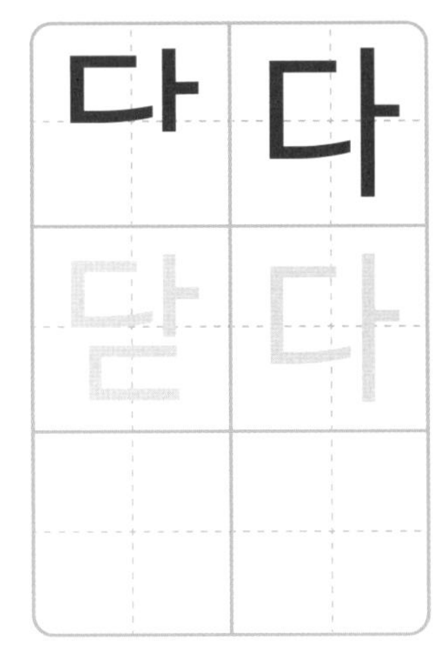

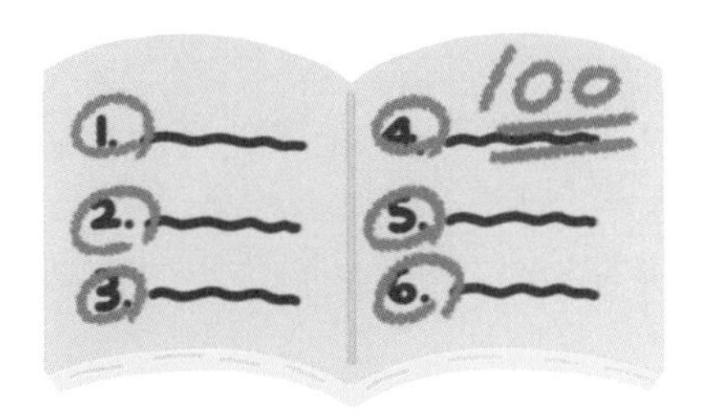

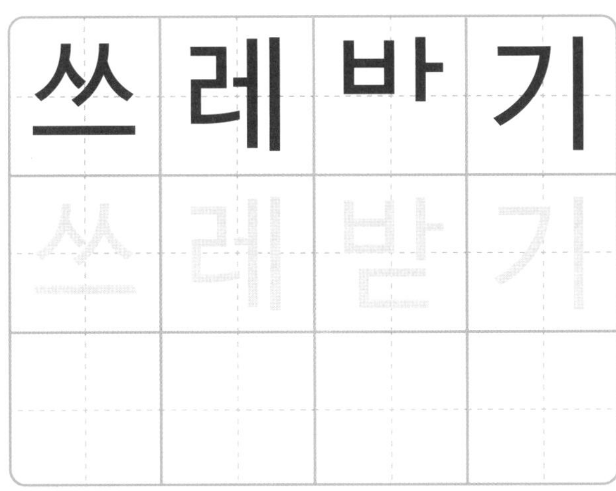

바아쓰기

받아쓰기

3 ㄷ 받침 가족 글자 만들기

★ ㅅ, ㅈ, ㅊ, ㅌ, ㅎ 받침을 써서 글자를 완성해 보세요.

모두 ㄷ 받침 가족으로 [읃] 소리가 납니다. 잘 발음해 보세요.
'좋다'[조타]처럼 ㅎ 받침은 뒷글자를 거센소리로 만들어요.

★ ㅅ, ㅈ, ㅊ, ㅌ, ㅎ 받침을 넣어 글자판을 완성하고 소리 내어 읽어 보세요.

마	우	고	차	비	수	가	부	라	조
ㅅ	ㅅ	ㅈ	ㅈ	ㅊ	ㅊ	ㅌ	ㅌ	ㅎ	ㅎ
맛		곶		빛		같		랗	

★ 알맞은 받침을 넣어 낱말을 완성하고 소리 내어 읽어 보세요.

★ ㅅ, ㅈ, ㅊ, ㅌ, ㅎ 받침 낱말을 또박또박 써 보세요.

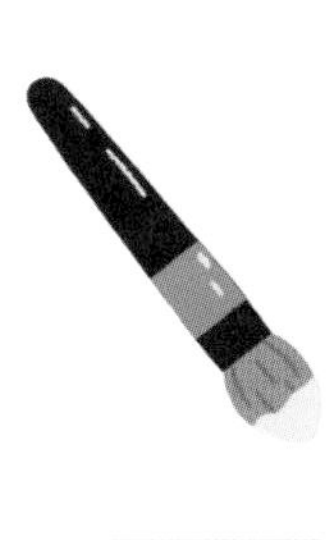

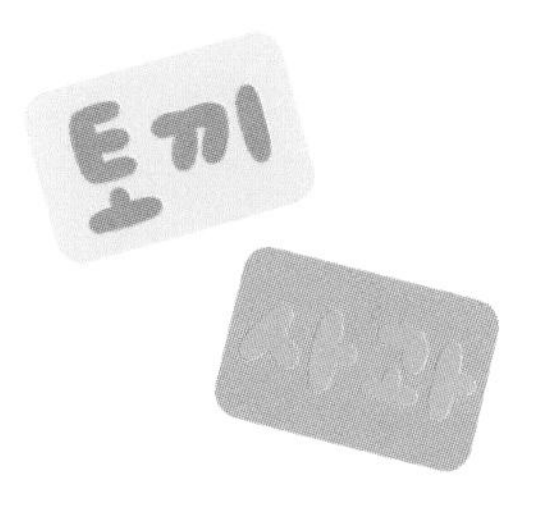

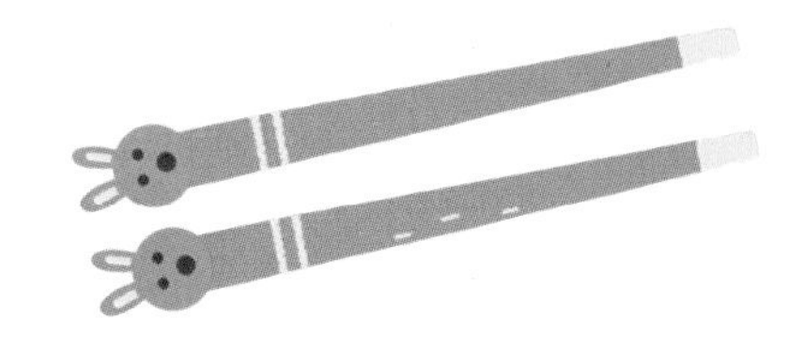

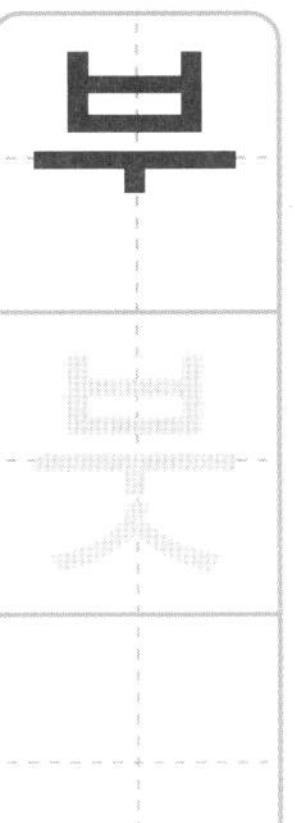

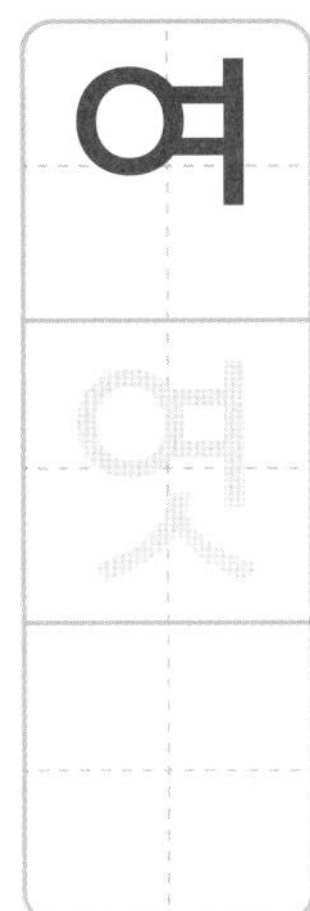

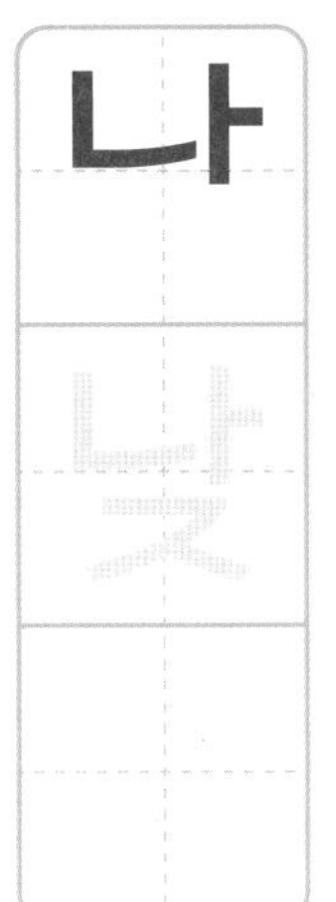

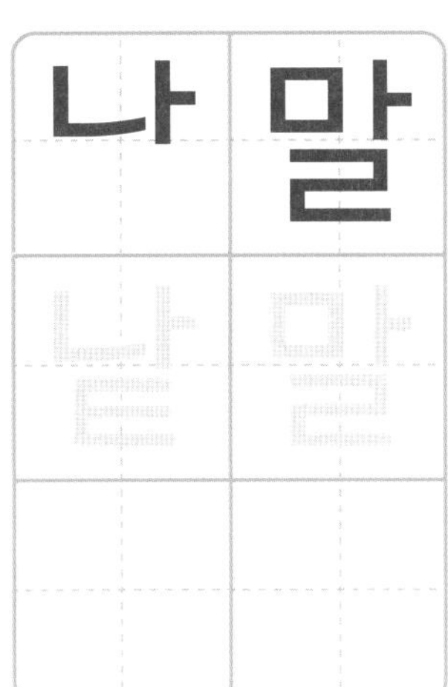

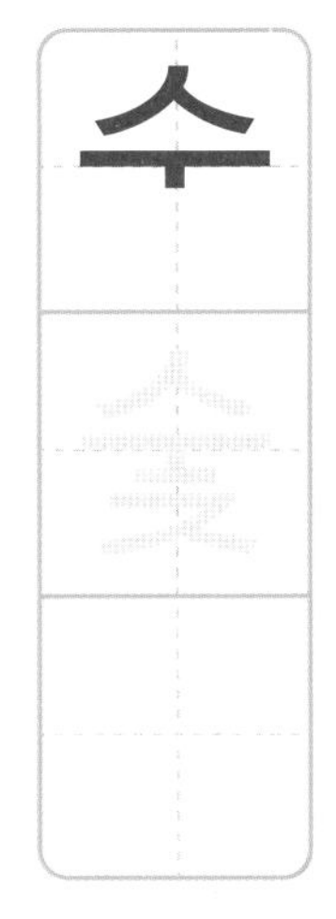

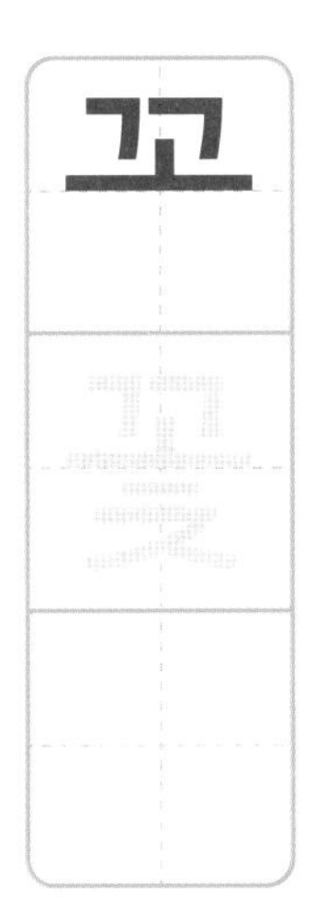

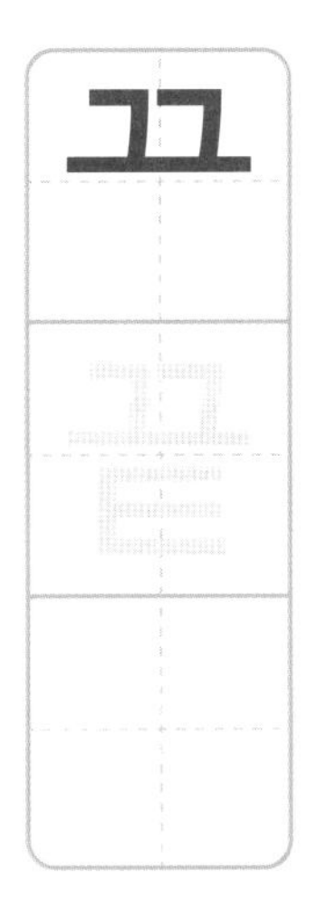

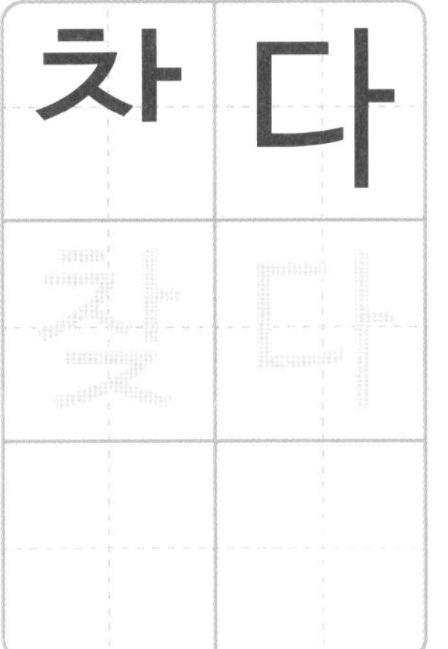

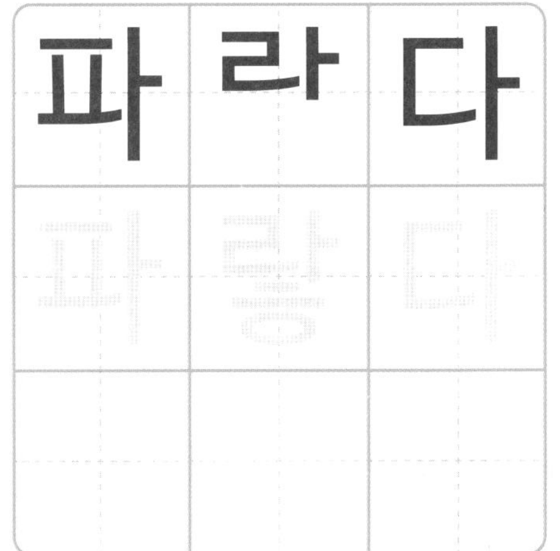

복습 놀이

★ 받침에 유의하여 오른쪽에서 같은 글자를 찾아 ○ 하세요.

		(빗)	빋	빛
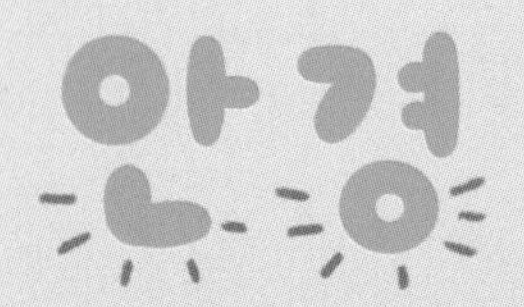	받침	받침	밧침	밫침
	낮잠	낫잠	낮잠	낯잠
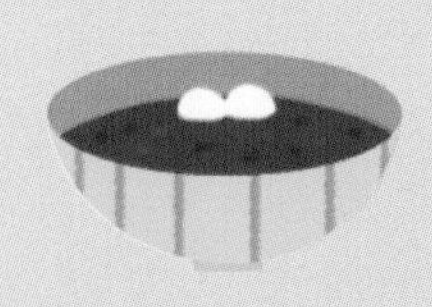	팥죽	팓죽	퐡죽	팥죽
	쫓다	쫓다	쫏다	쫃다
	쌓다	쌋다	쌓다	쌑다

★ 　　 에 ㅅ 받침을 넣어 재미있는 표현을 완성하고 읽어 보세요.

파	르	파	르
울	그	불	그
이	거	저	거
머	무	머	무

★ 　　 에 ㅈ, ㅊ, ㅌ, ㅎ 받침을 넣어 재미있는 표현을 완성하고 읽어 보세요.

마	아	마	아
햇	비	달	비
서	로	가	이
조	다	조	다

	아		아
햇		달	
서	로		이
	다		다

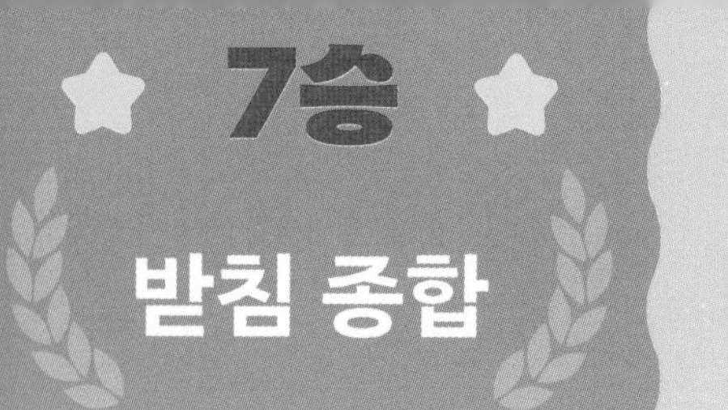

1 알맞은 받침 쓰기

★ 알맞은 받침을 넣어 글자를 만들어 보세요.

정답 | 창문 짜장면 징검다리 그림 보름달 미끄럼틀 찐빵 빨간색 종이접기

2 받침 글자 고쳐 쓰기

★ 틀린 글자에 ×하고, 바르게 고쳐 써 보세요.

정답 | 표범 양말 동물 우산 생선 장화 물통 창문 색연필 실내화 장난감

3 낱말 찾기

★ 글자판에서 맛있는 음식 이름을 찾아 ○하고 받침을 생각하며 바르게 써 보세요.

감	자	전	가	짜
반	짬	뽕	법	후
만	정	호	박	죽
두	김	밥	지	도
자	치	민	냉	면

내	며

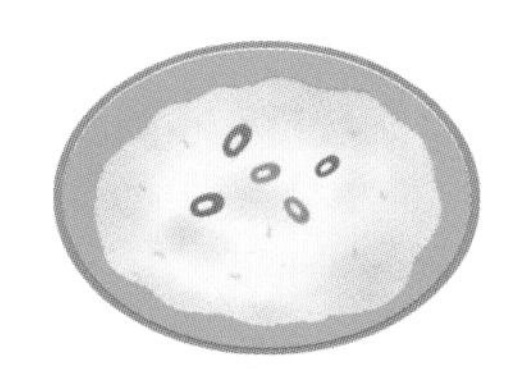

가	자	저

기	바

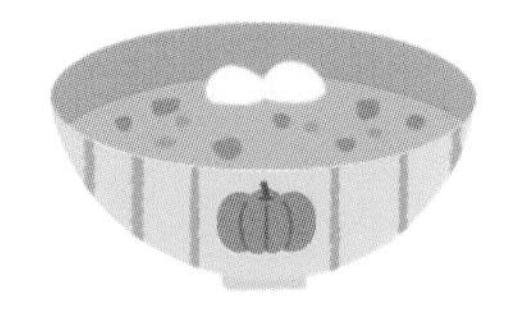

호	바	주

기	치

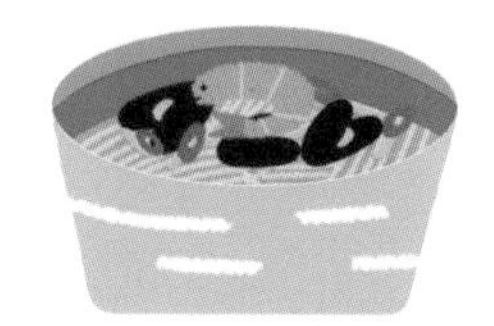

짜	뽀

마	두

정답 | 냉면 감자전 김밥 호박죽 김치 짬뽕 만두

4 책 제목 쓰기

★ 책 제목을 따라 쓰고, 받침 있는 글자에 ○해 보세요.

★ 내가 재미있게 읽은 책 제목을 쓰고, 받침 있는 글자에 ○해 보세요.

복습 놀이

★ 빈칸에 보기 의 글자를 넣어 낱말 퍼즐을 완성해 보세요.

보기 장 국 필 공 신 불

정답 | 필 신 불 국 공 장

★ 앞 낱말의 끝 글자로 시작하는 낱말로 끝말잇기를 해 보세요.

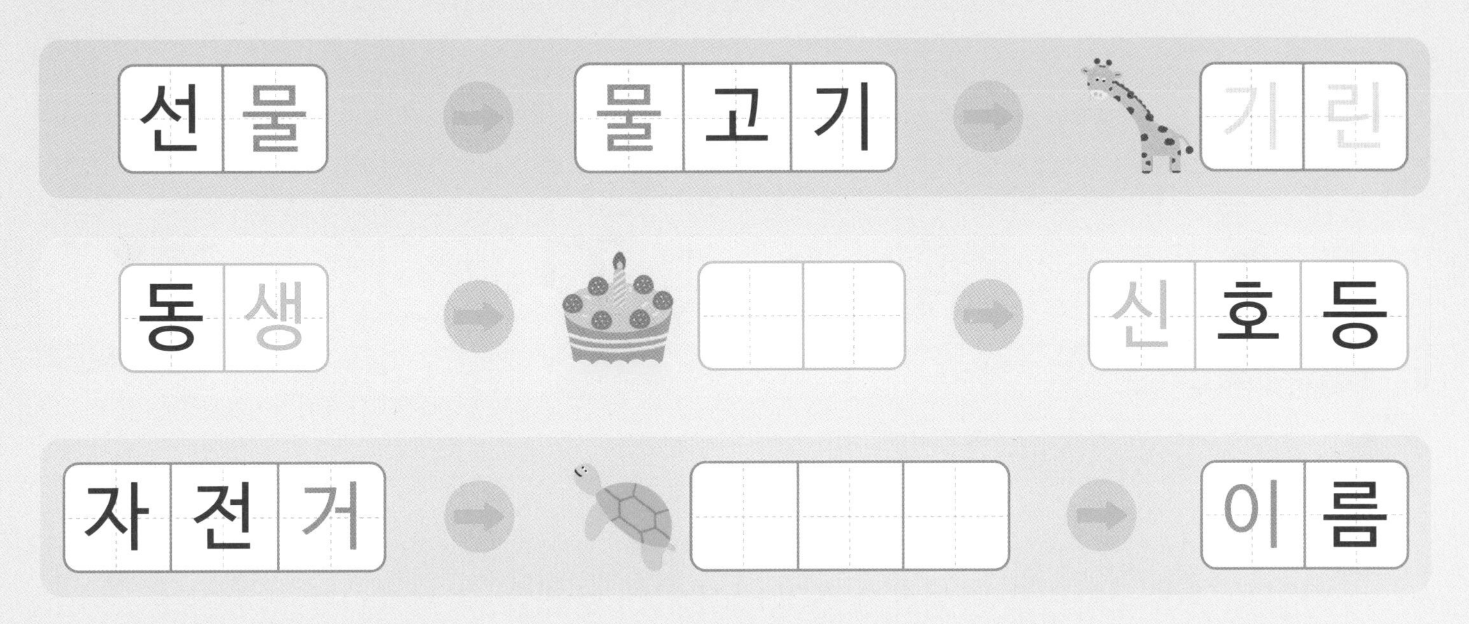

★ 보기 의 낱말을 이용하여 끝말잇기 기차를 완성해 보세요.

보기 국수 문어 대한민국 빨대 수도꼭지

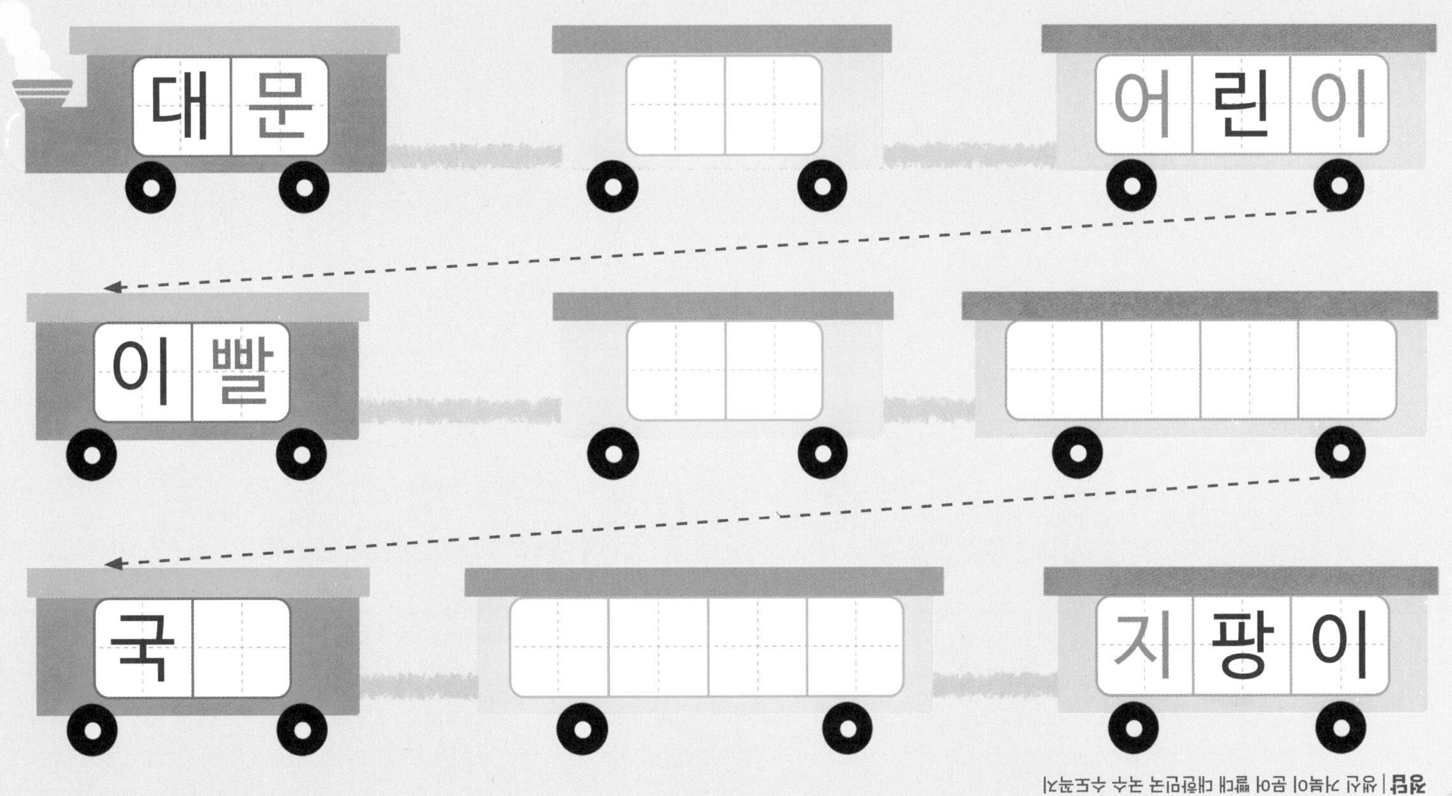

정답 | 생신 거북이 문어 빨대 대한민국 국수 수도꼭지

1 ㄲ 받침 글자 만들기

★ ㄲ 받침을 넣어 글자를 완성해 보세요.

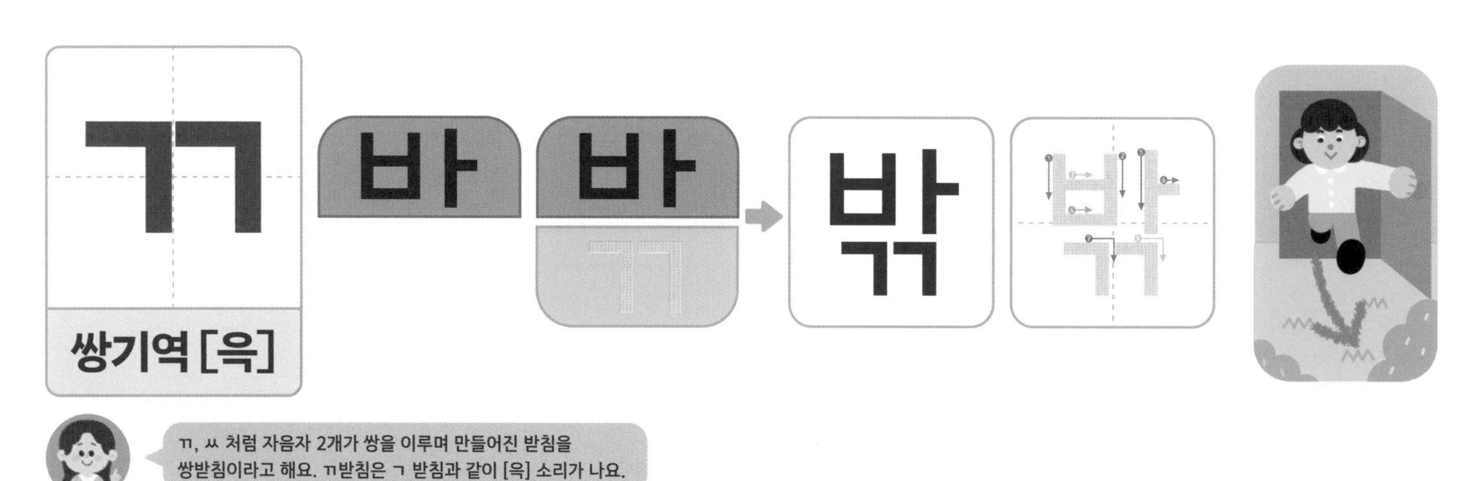

ㄲ, ㅆ 처럼 자음자 2개가 쌍을 이루며 만들어진 받침을
쌍받침이라고 해요. ㄲ받침은 ㄱ 받침과 같이 [윽] 소리가 나요.

★ ㄲ 받침을 넣어 글자판을 완성하고 소리 내어 읽어 보세요.

까	나	다	바	파	꺼	서	보	소	무
ㄲ	ㄲ	ㄲ	ㄲ	ㄲ	ㄲ	ㄲ	ㄲ	ㄲ	ㄲ
깎					꺾				

★ ㄲ 받침을 넣어 낱말을 완성하고 소리 내어 읽어 보세요.

2 ㄲ 받침 낱말 쓰기

★ ㄲ 받침 낱말을 또박또박 써 보세요.

떡	보	이
떡	볶	이

보	음	밥
볶	음	밥

창	바
창	밖

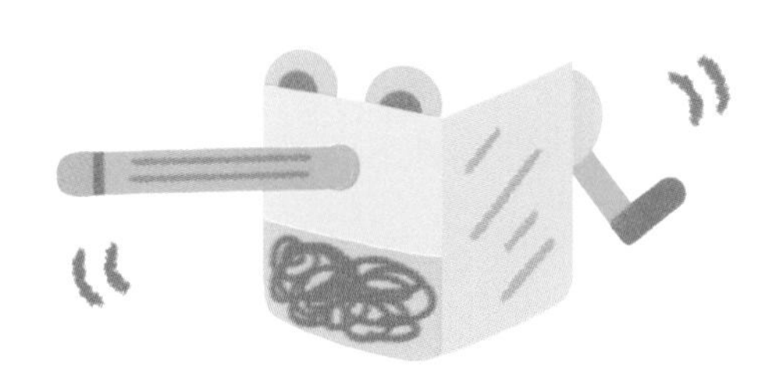

연	필	까	이
연	필	깎	이

서	다
섞	다

꺼	다
꺾	다

3 ㅆ 받침 글자 만들기

ㅆ 받침을 써서 글자를 완성해 보세요.

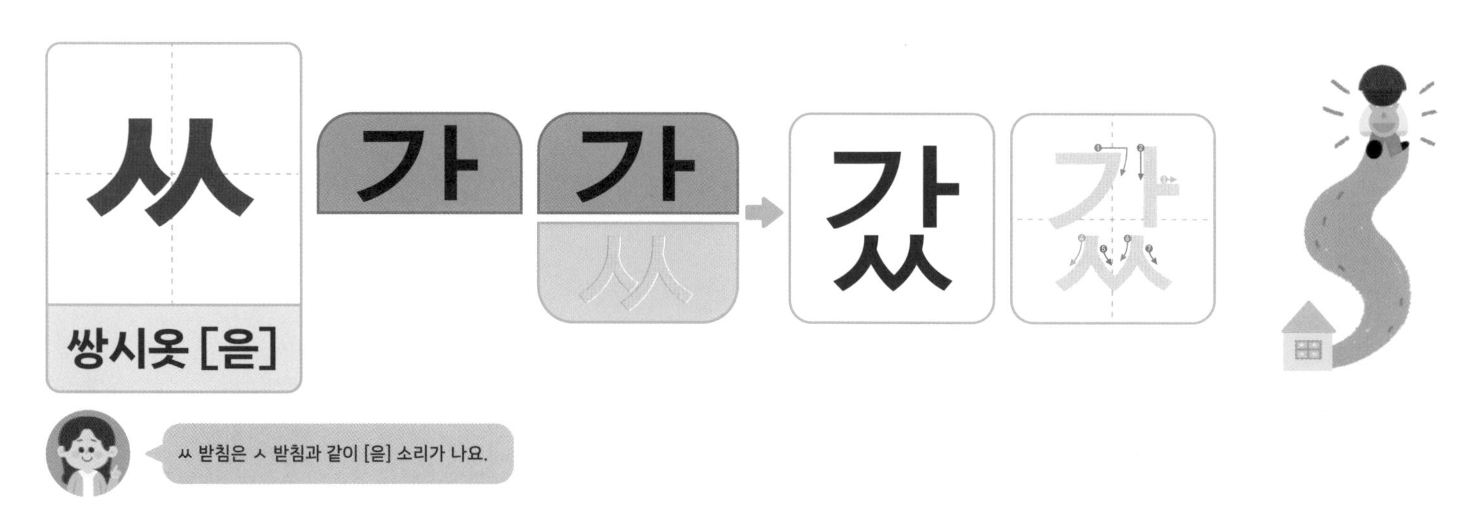

ㅆ 받침은 ㅅ 받침과 같이 [읃] 소리가 나요.

ㅆ 받침을 넣어 글자판을 완성하고 소리 내어 읽어 보세요.

가	사	아	자	차	타	서	어	이	해
ㅆ	ㅆ	ㅆ	ㅆ	ㅆ	ㅆ	ㅆ	ㅆ	ㅆ	ㅆ
갔						섰			

ㅆ 받침을 넣어 낱말을 완성하고 소리 내어 읽어 보세요.

사	다

타	다

먹	어	다

4 ㅆ 받침 낱말 쓰기

★ ㅆ 받침 낱말을 또박또박 써 보세요.

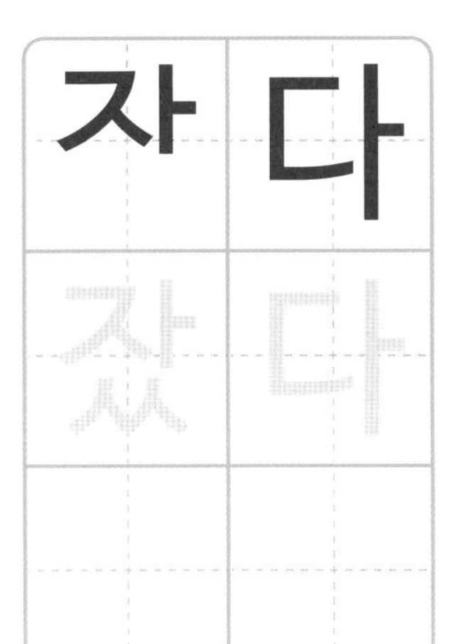

자	다
잤	다

따	다
땄	다

궁	금	해	다
궁	금	했	다

낳	아	다
낳	았	다

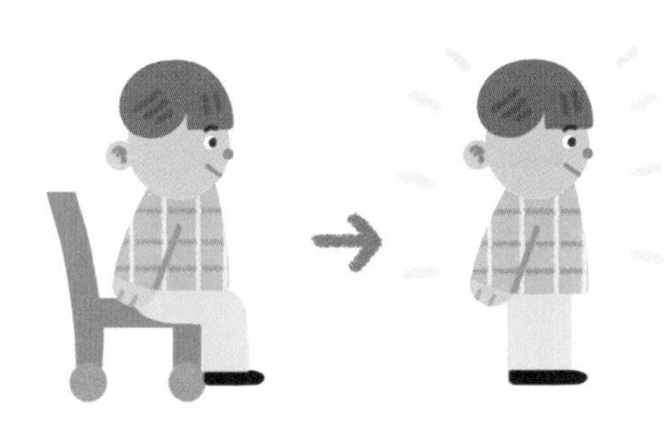

일	어	서	다
일	어	섰	다

복습 놀이

★ 맞는 낱말에 ○ 하고, 빈칸에 쓰면서 소리 내어 읽어 보세요.

① 낚시 / 낚시 — 낚시 하러 강에 갔다.

② 안경닦이 / 안경닥이 — ☐☐☐☐ 로 안경을 닦다.

③ 깎다 / 깍다 — 연필을 ☐☐.

④ 삿다 / 샀다 — 물건을 ☐☐.

⑤ 갓다 / 갔다 — 집에 ☐☐.

⑥ 깍앗다 / 깎았다 — 손톱을 ☐☐☐.

정답 | 낚시 안경닦이 깎다 샀다 갔다 깎았다

빈칸에 보기 의 글자를 넣어 낱말 퍼즐을 완성해 보세요.

보기 깎 볶 았 있

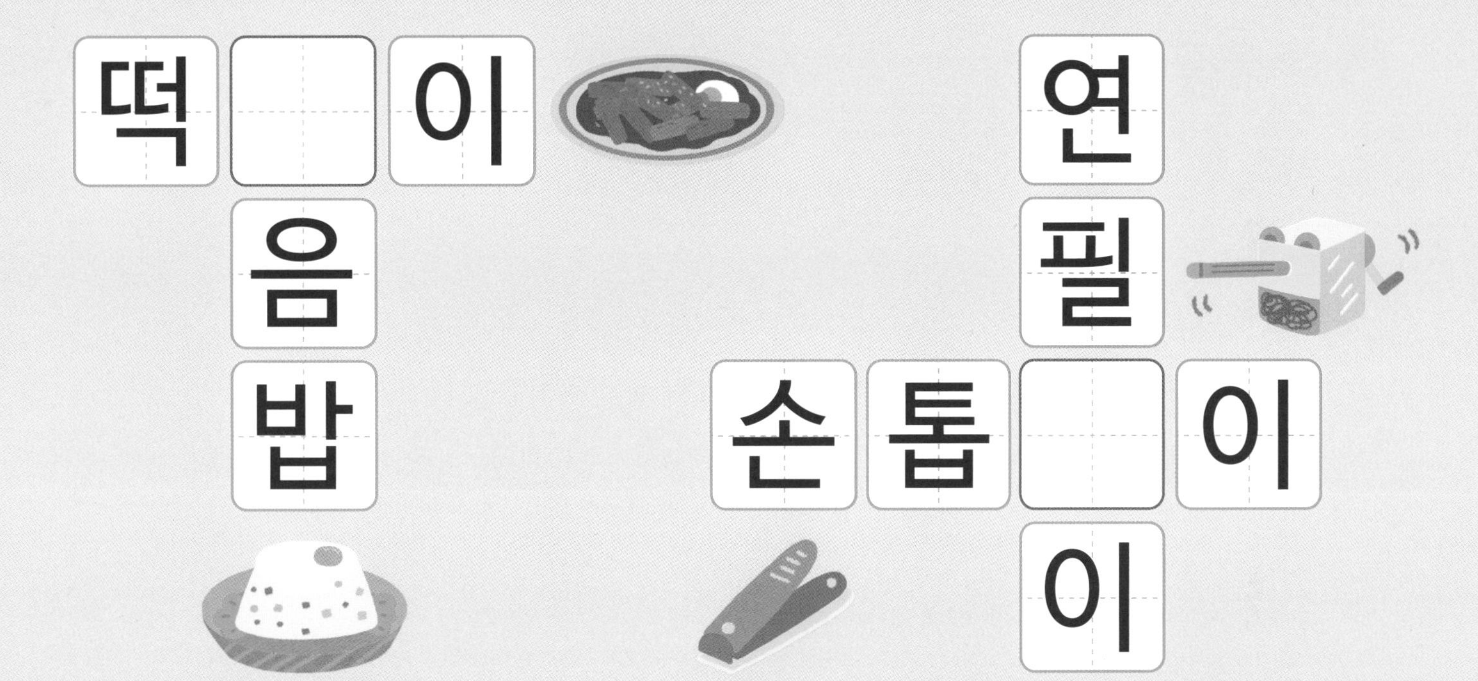

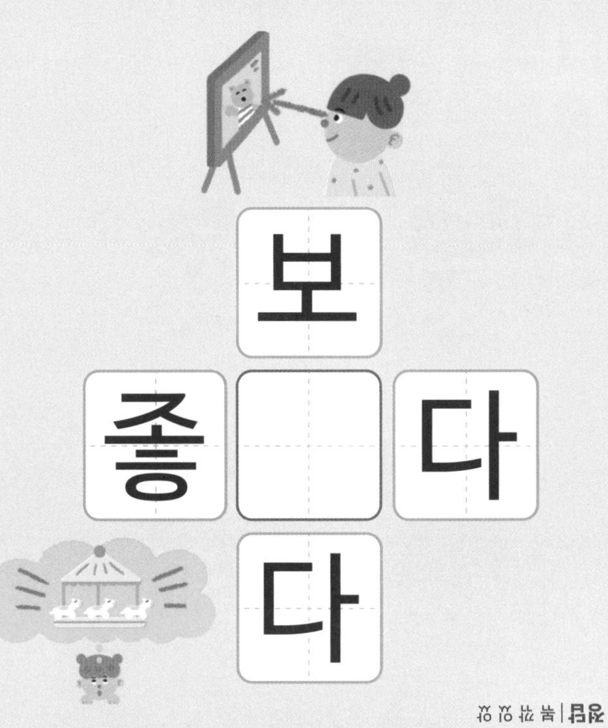

1 겹받침 글자 만들기

★ 겹받침을 넣어 글자를 완성해 보세요.

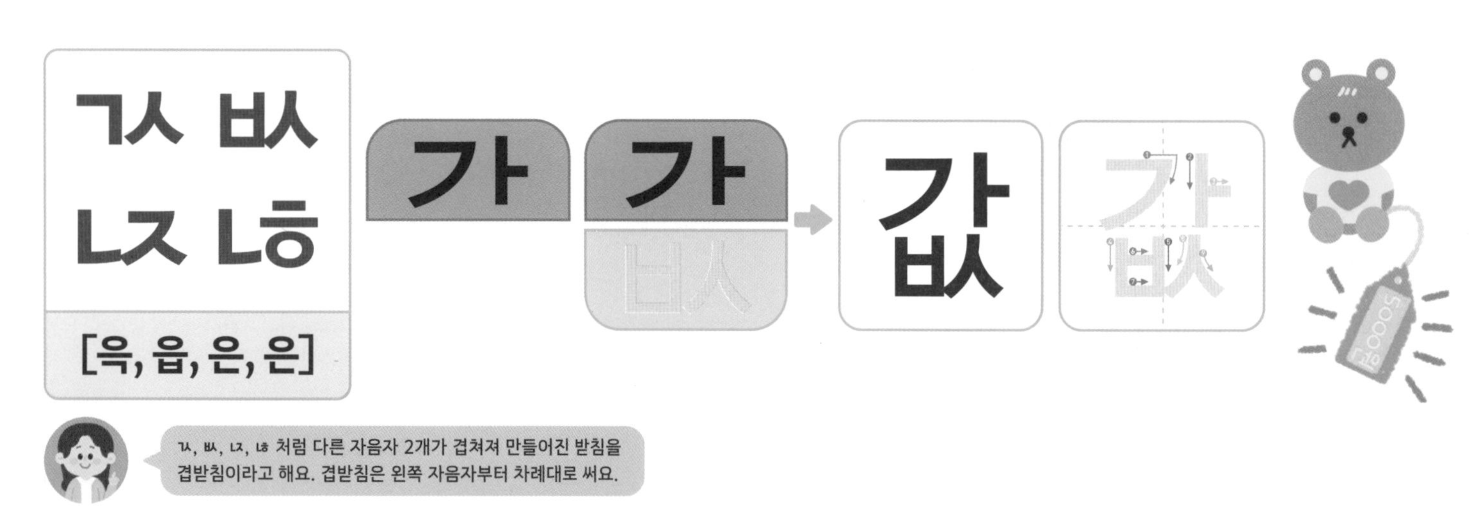

★ 겹받침을 넣어 글자판을 완성하고 소리 내어 읽어 보세요.

모	사	어	여	아	어	끄	마	차
ㄱㅅ	ㄱㅅ	ㅂㅅ	ㅂㅅ	ㄴㅈ	ㄴㅈ	ㄴㅎ	ㄴㅎ	ㄴㅎ
몫		없		앉		끊		

★ 겹받침을 넣어 낱말을 완성하고 소리 내어 읽어 보세요.

★ 겹받침 낱말을 또박또박 써 보세요.

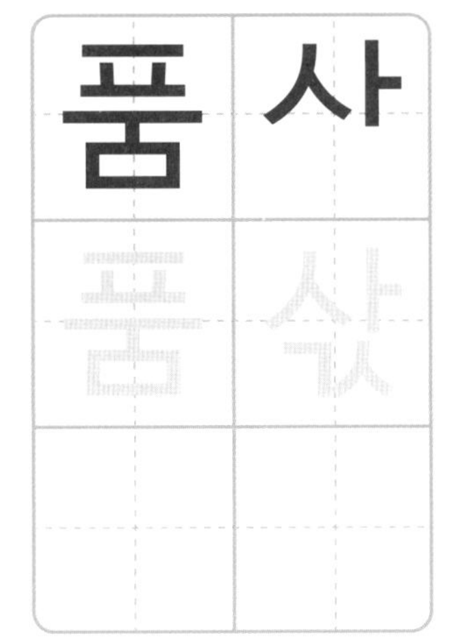

품	사
품	삯

어	다
없	다

가	여	다
가	엾	다

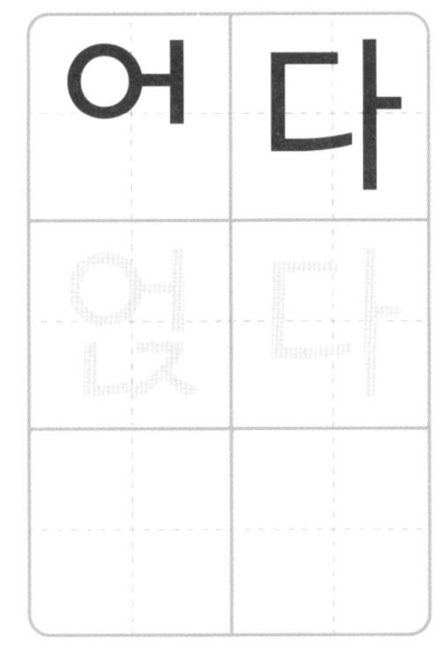

어	다
얹	다

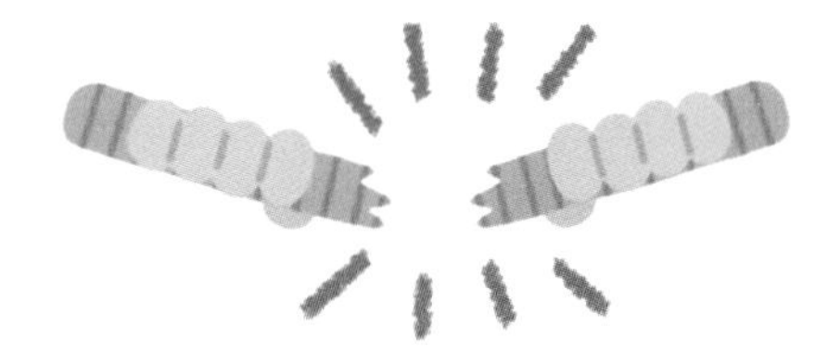

끄	다
끊	다

귀	차	다
귀	찮	다

3 겹받침 글자 만들기

★ 겹받침을 써서 글자를 완성해 보세요.

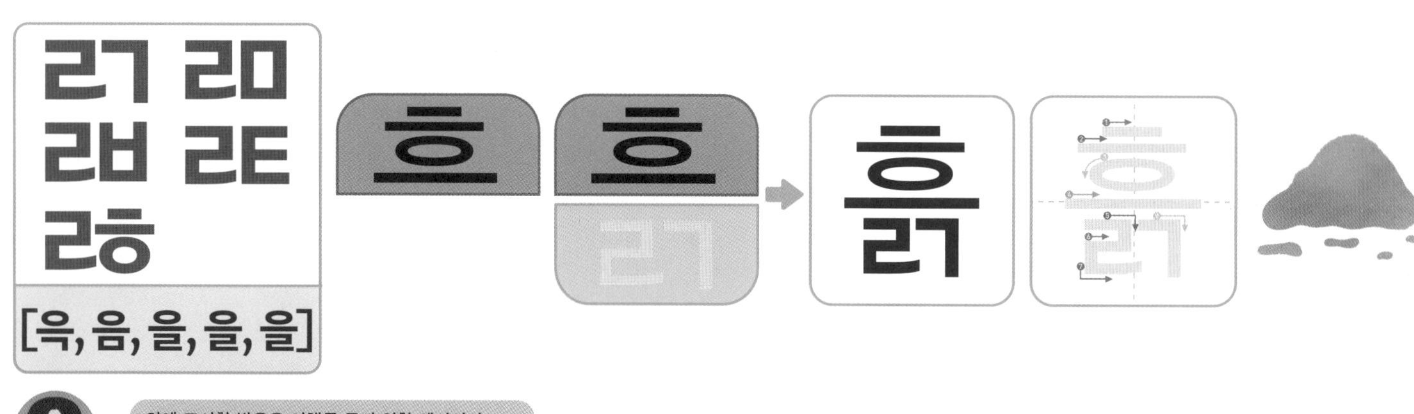

위에 표시한 발음은 이해를 돕기 위한 예시이며,
겹받침의 발음은 뒤에 오는 글자에 따라 달라집니다.

★ 겹받침을 넣어 글자판을 완성하고 소리 내어 읽어 보세요.

흐	구	이	사	저	너	하	끄	뚜
ㄺ	ㄺ	ㄺ	ㄻ	ㄻ	ㄼ	ㄾ	ㅀ	ㅀ
흙			삶		넓	핥	끓	

★ 겹받침을 넣어 낱말을 완성하고 소리 내어 읽어 보세요.

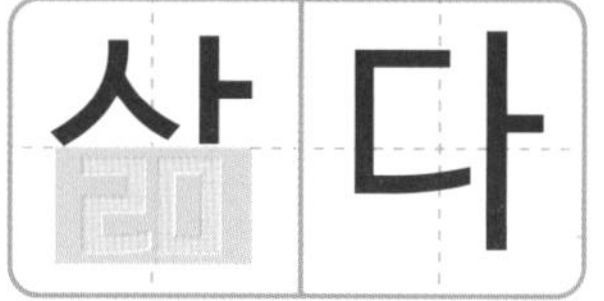

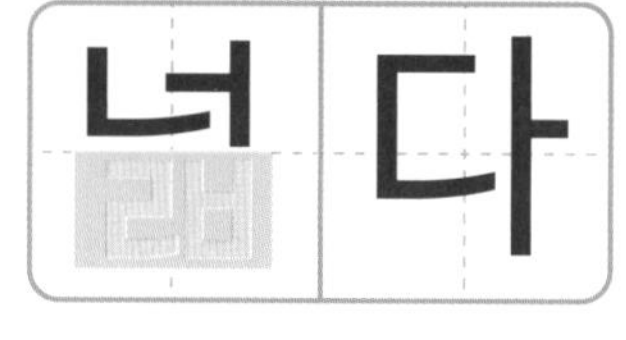

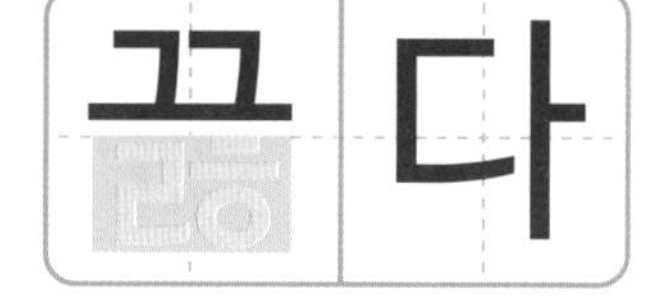

4 겹받침 낱말 쓰기

★ 겹받침 낱말을 또박또박 써 보세요.

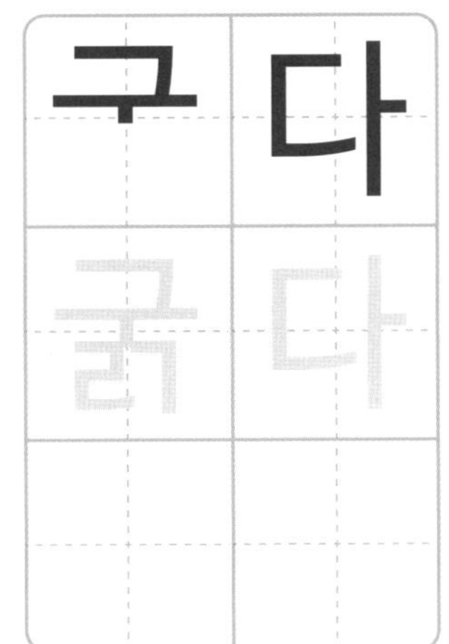

구	다
굵	다

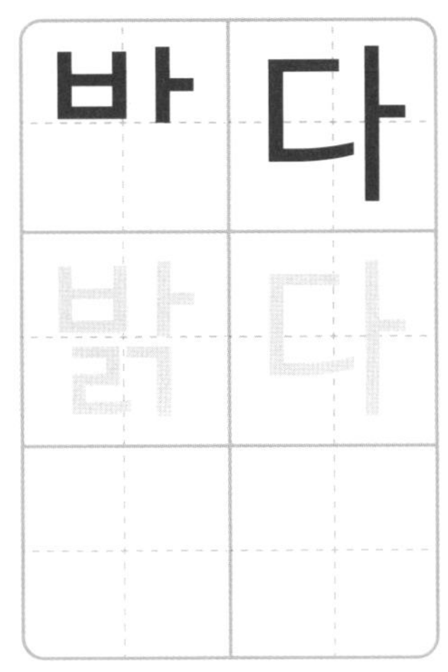

바	다
밝	다

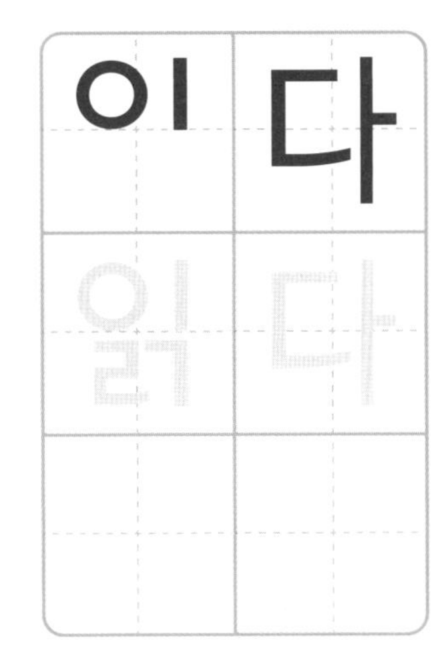

이	다
읽	다

저	다
젊	다

오	기	다
옮	기	다

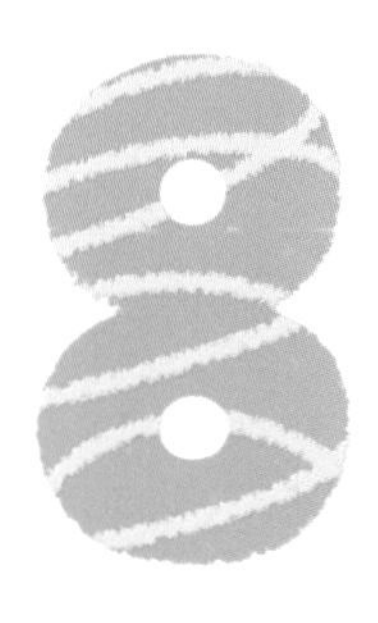

여	더
여	덟

뚜	다
뚫	다

복습 놀이

받침은 다르지만 소리가 같은 낱말입니다.
뜻을 생각하며 그림에 알맞은 글자를 쓰고 읽어 보세요.

★ 에 겹받침을 넣어 재미있는 표현을 완성하고 읽어 보세요.

그 ㄺ	적	그 ㄺ	적
마 ㄺ	고	마 ㄺ	은
부 ㄺ	디	부 ㄺ	다
너 ㄼ	적	너 ㄼ	적
다 ㅀ	고	다 ㅀ	아
어 ㅄ	다	어 ㅄ	어
마 ㄶ	이	마 ㄶ	이

→

긁	적	긁	적
	고		은
	디		다
	적		적
	고		아
	다		어
	이		이

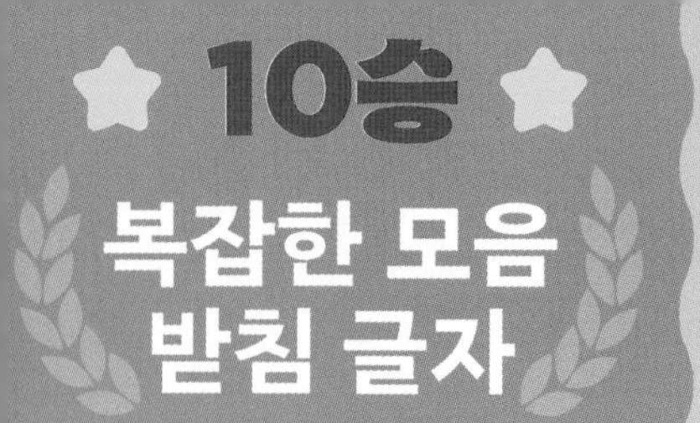

1 글자 만들기

★ 복잡한 모음에 받침을 넣어 글자를 완성하고 낱말을 써 보세요.

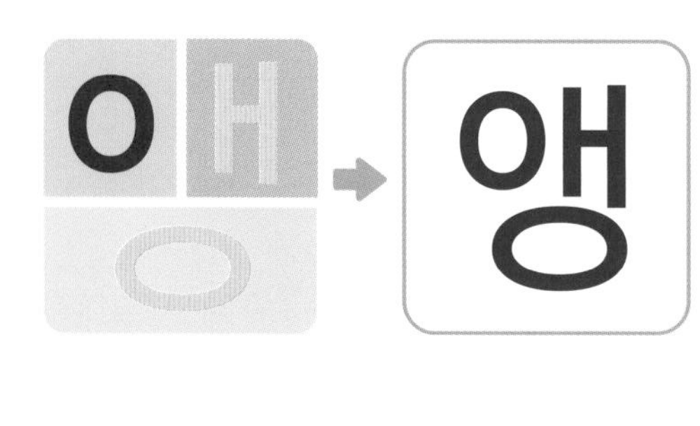
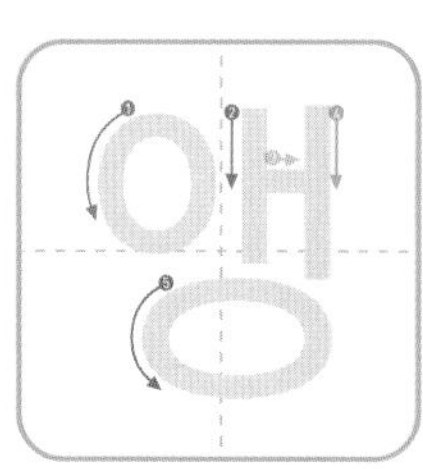

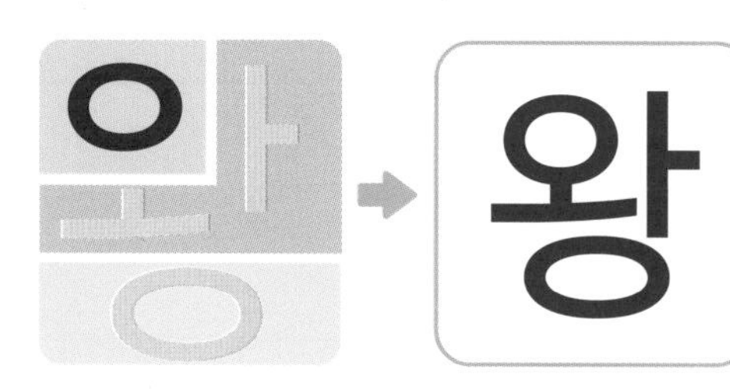

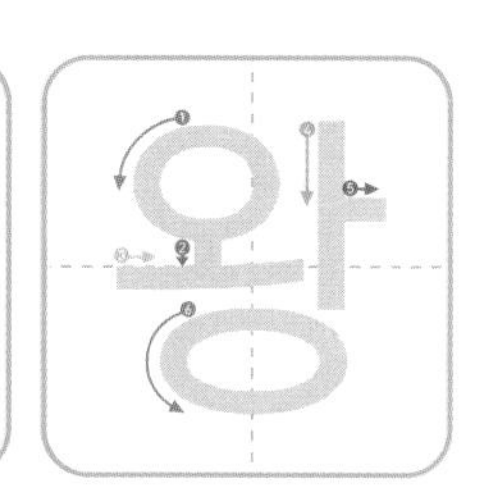

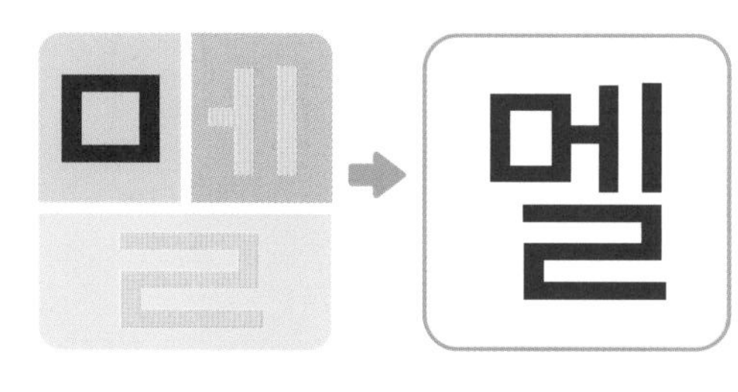
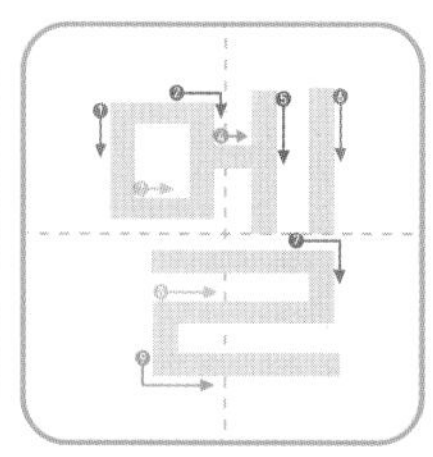
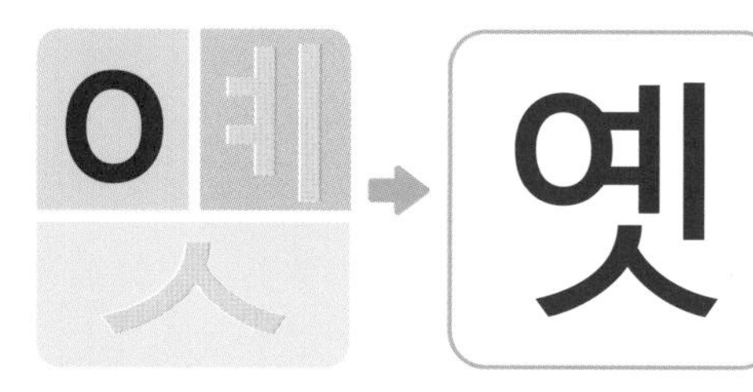

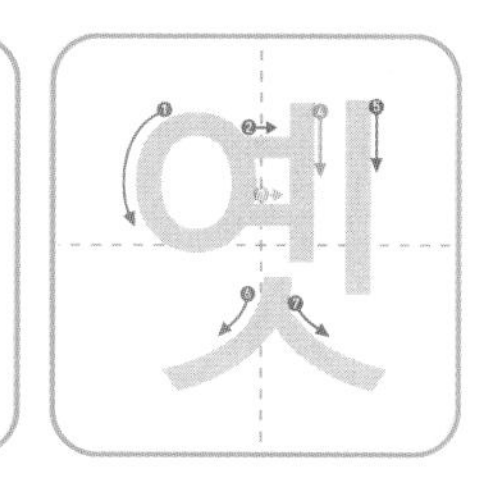

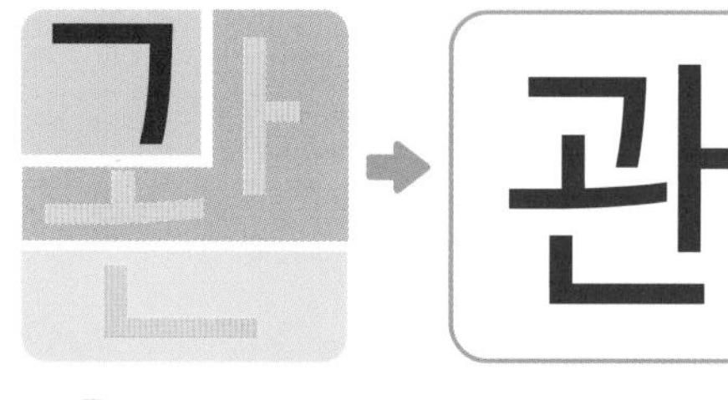
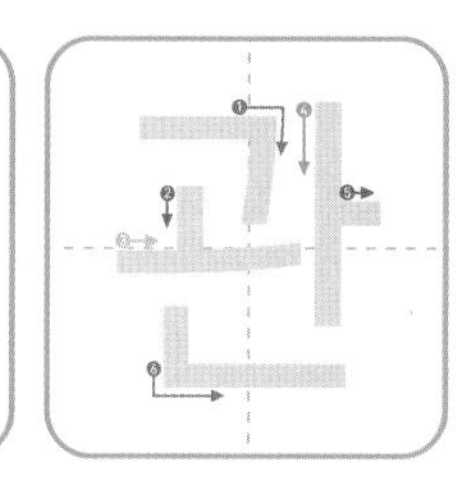

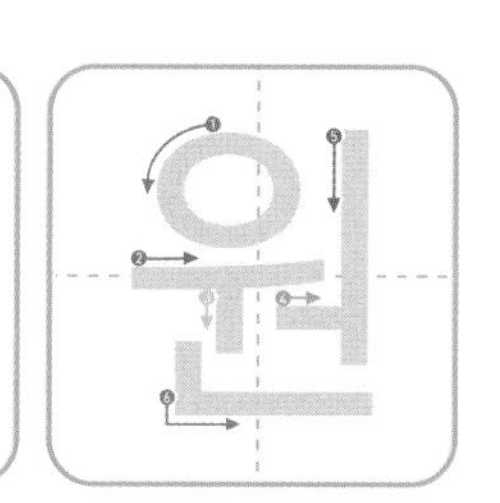

자음과 모음을 조금 작게 쓰며
글자가 네모 칸에 쏙 들어가게 써 보세요.

★ 받침을 넣어 낱말을 완성하고 소리 내어 읽어 보세요.

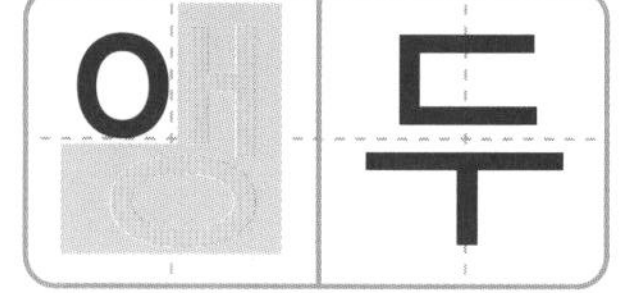

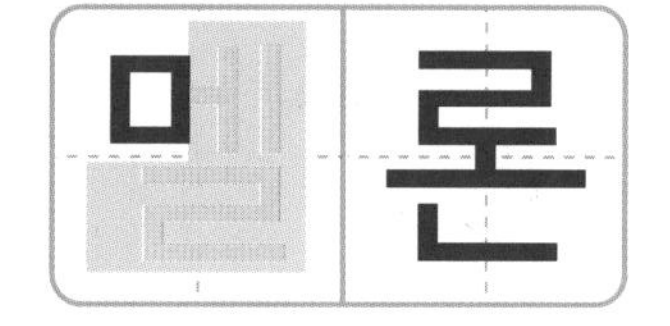

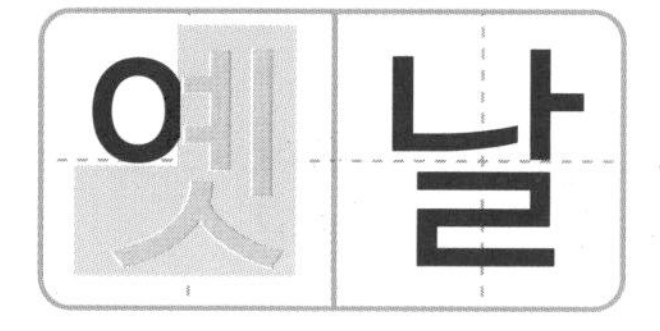

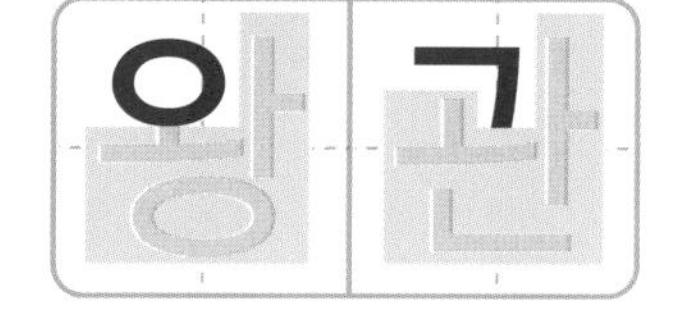

2 낱말 쓰기

★ 복잡한 모음에 받침이 있는 낱말을 또박또박 써 보세요.

ㅅ	쥐
생	쥐

오	ㄹ	지
오	렌	지

용	ㅇ
용	왕

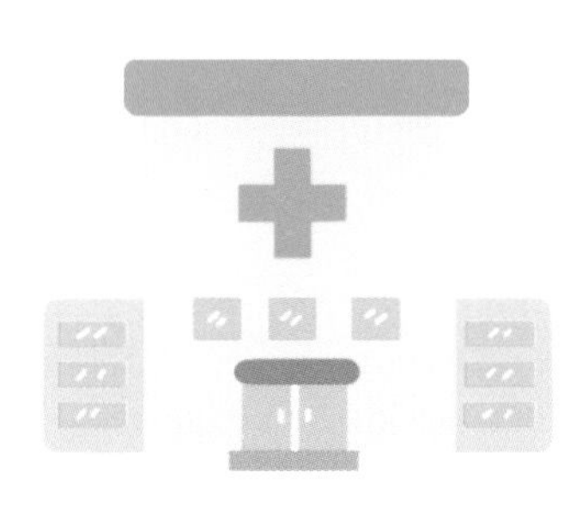

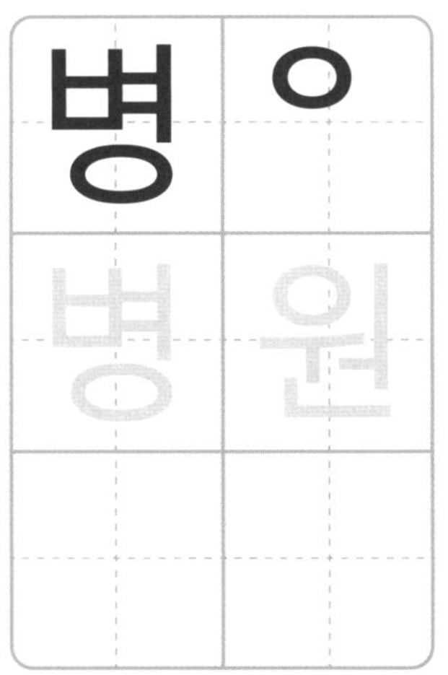

병	ㅇ
병	원

ㅇ	요	일
월	요	일

태	ㄱ	도
태	권	도

3 글자 만들기

★ 복잡한 모음에 받침을 넣어 글자를 완성하고 낱말을 써 보세요.

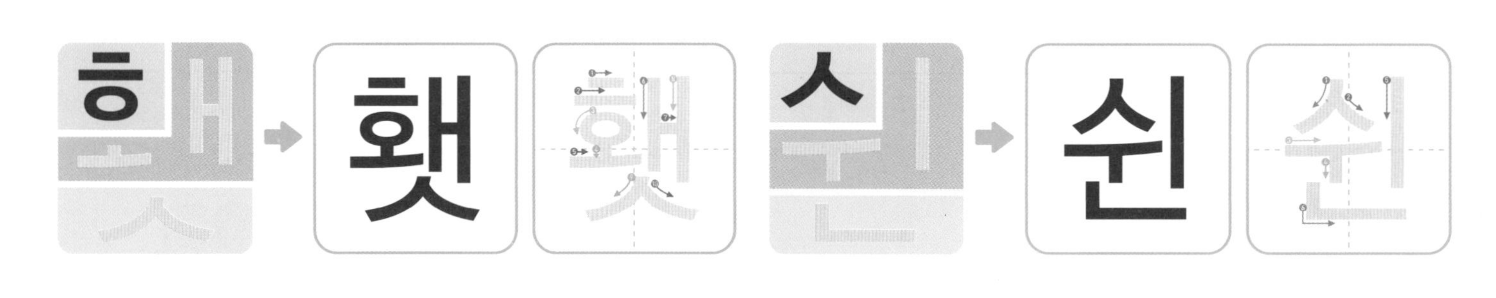

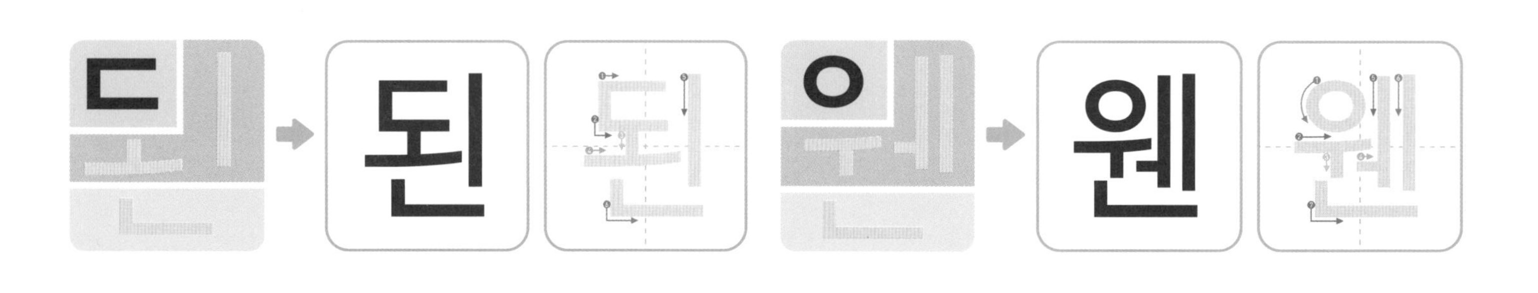

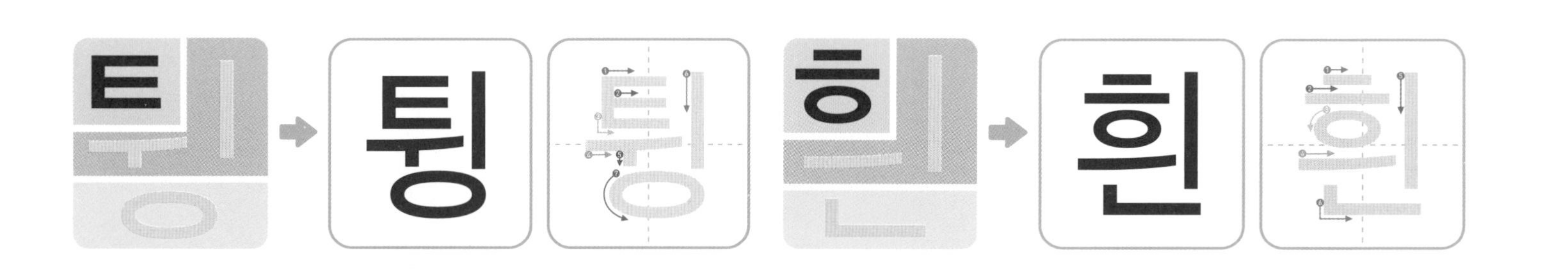

★ 받침을 넣어 낱말을 완성하고 소리 내어 읽어 보세요.

★ 복잡한 모음에 받침이 있는 낱말을 또박또박 써 보세요.

ㄱ	찮	아
괜	찮	아

ㅎ	단	보	도
횡	단	보	도

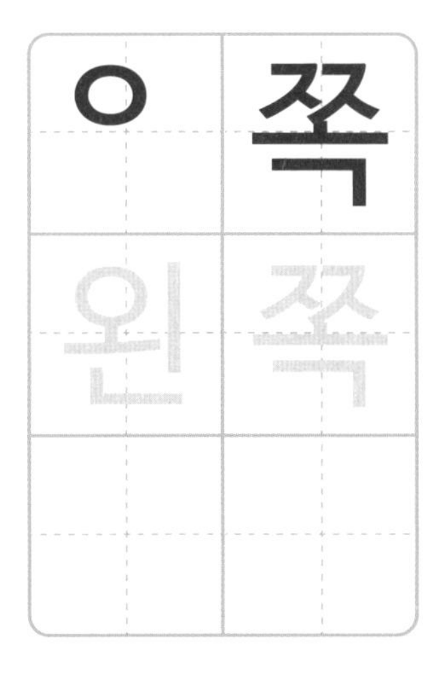

ㅇ	쪽
왼	쪽

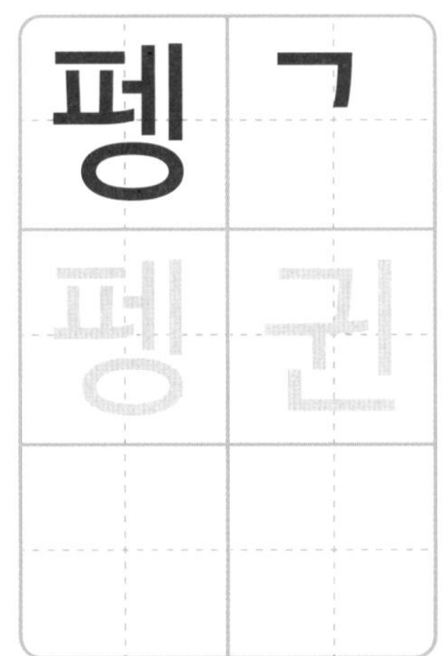

펭	ㄱ
펭	귄

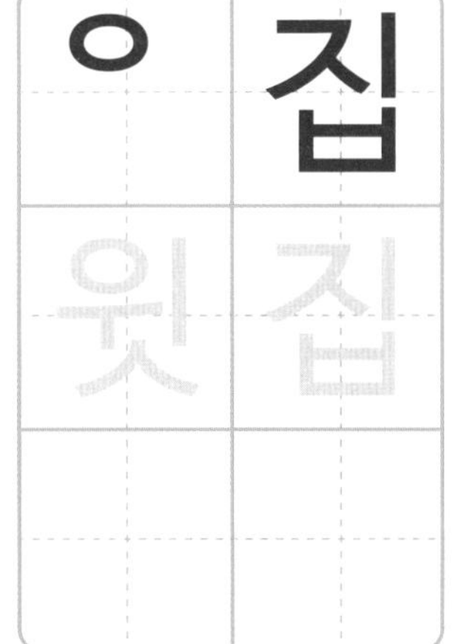

ㅇ	집
윗	집

ㄸ	다
뛴	다

복습 놀이

★ 그림에 어울리는 낱말에 선을 잇고, 쓰면서 읽어 보세요.

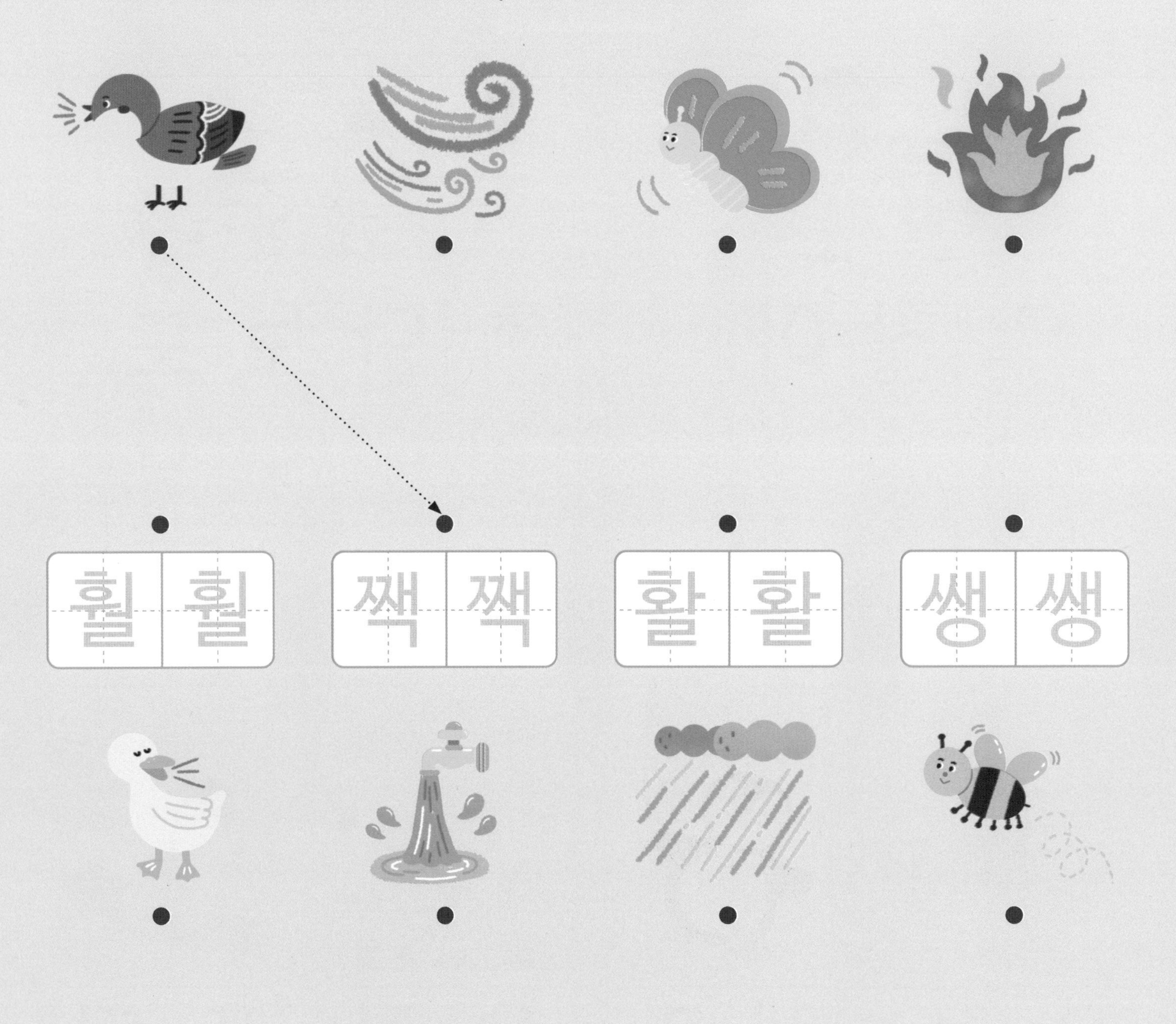

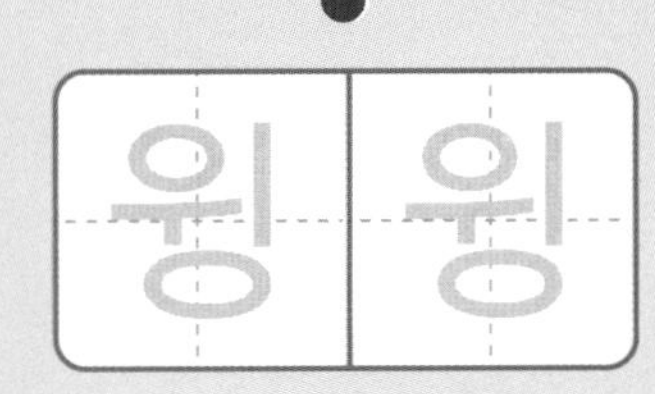

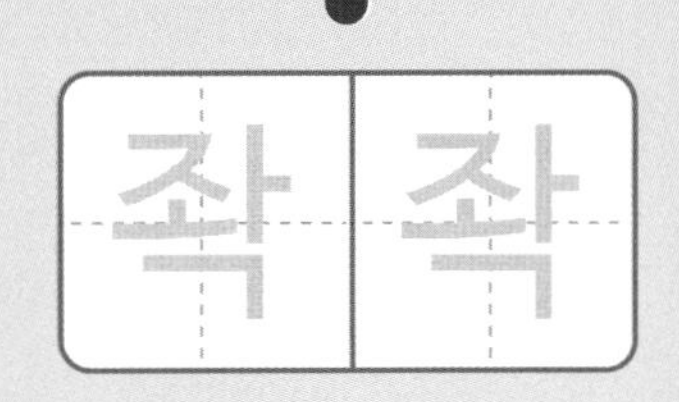

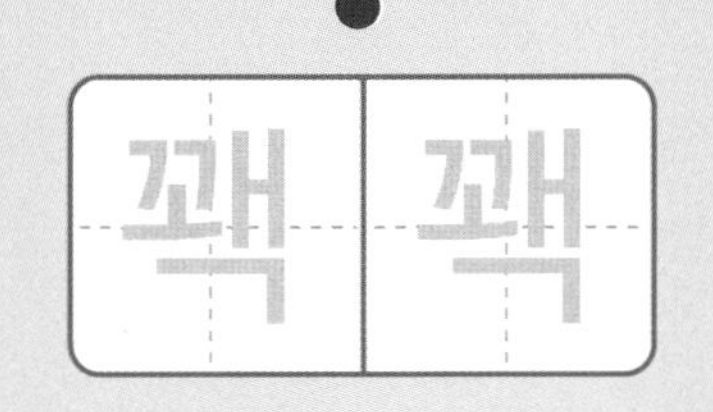

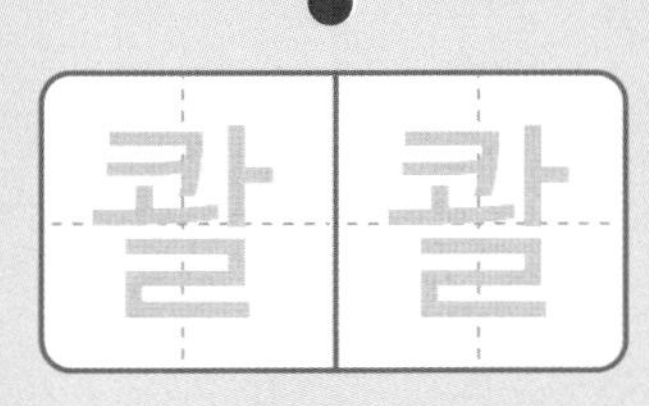

정답 | 짹짹 쌩쌩 훨훨 활활 꽥꽥 콸콸 좍좍 윙윙

★ 알맞은 모음과 받침을 넣어 재미있는 표현을 완성하고 읽어 보세요.

생	글	생	글
쿵	쾅	쿵	쾅
우	르	르	꽝
뒹	굴	뒹	굴
됐	다	됐	어
왁	자	지	껄

1 ㅇㅁㄴㄹ 받침 글자

★ 글자의 모양을 생각하며 받침 있는 글자를 써 보세요.

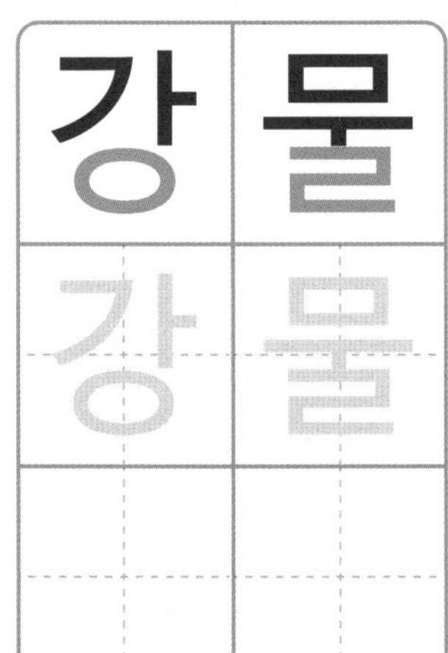

강물	음악	눈물	발음
강물	음악	눈물	발음

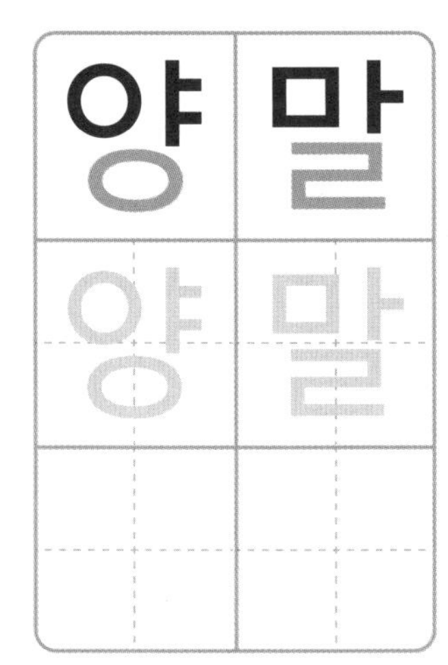

양말	몸통	만두	글자
양말	몸통	만두	글자

2 ㅂ ㅍ ㄱ ㅋ 받침 글자

★ 글자의 모양을 생각하며 받침 있는 글자를 써 보세요.

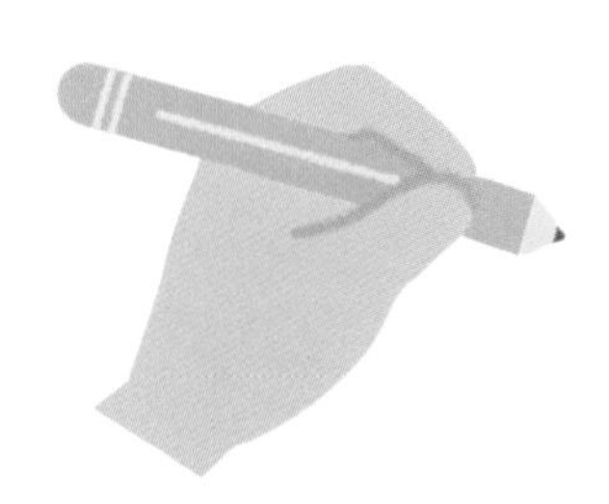

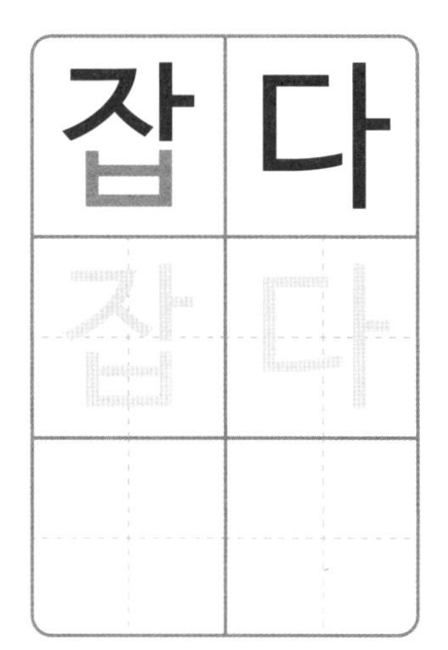

잡다

잡다

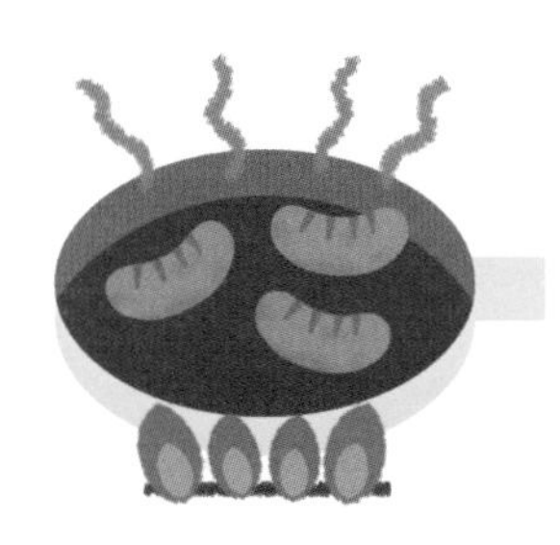

굽다

굽다

숲길

숲길

무릎

무릎

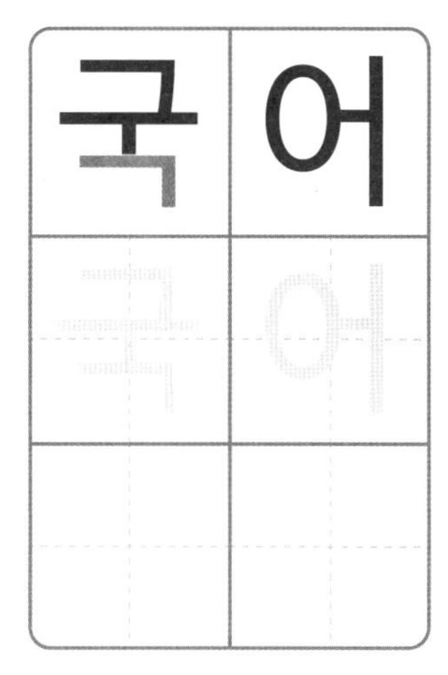

국어

국어

식탁

식탁

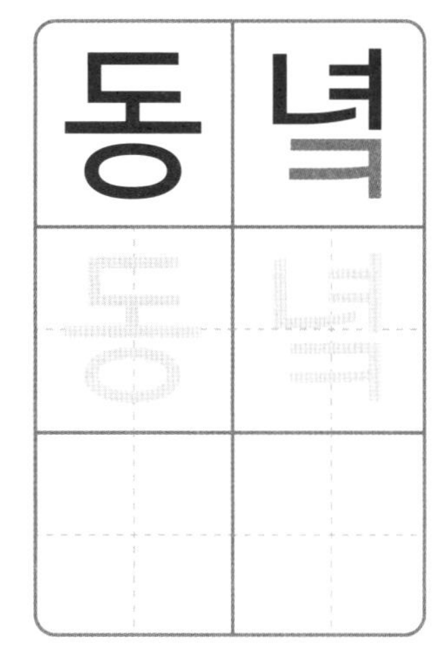

동녘

동녘

키읔

키읔

3 ㄷ ㅌ ㅎ 받침 글자

★ 글자의 모양을 생각하며 받침 있는 글자를 써 보세요.

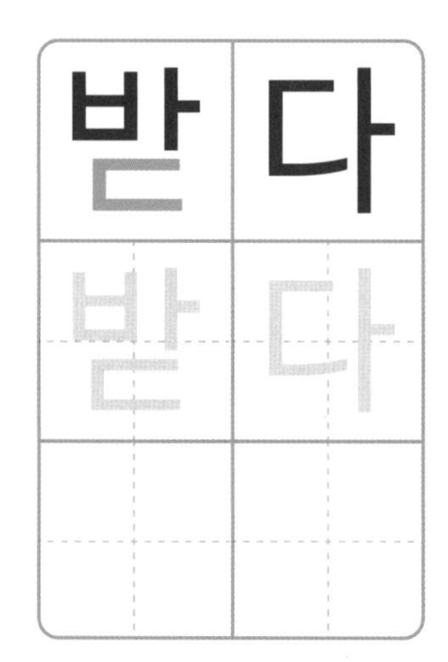

받다

받다

묻다

묻다

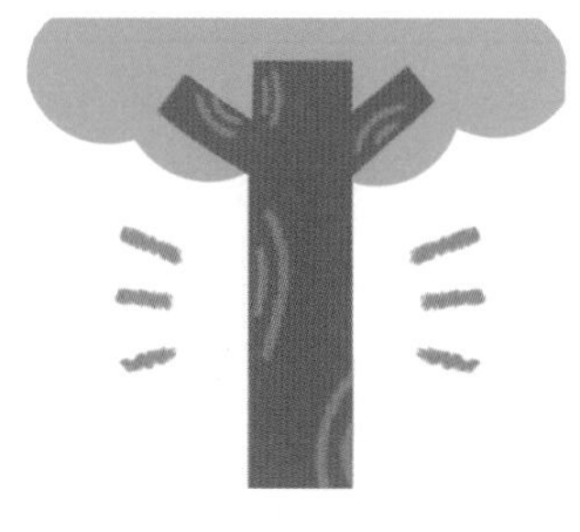

곧다

곧다

받침

받침

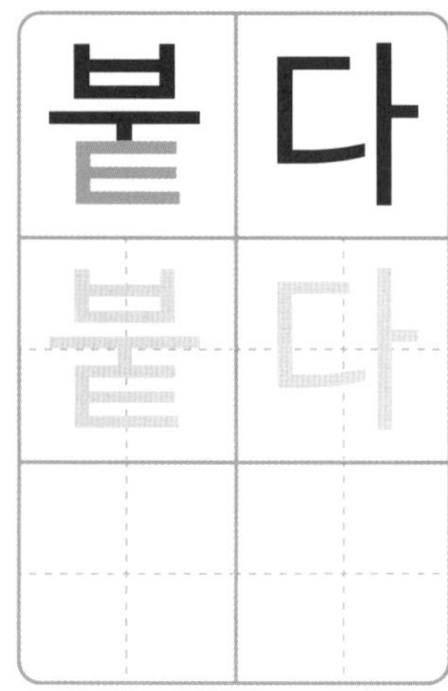

붙다

붙다

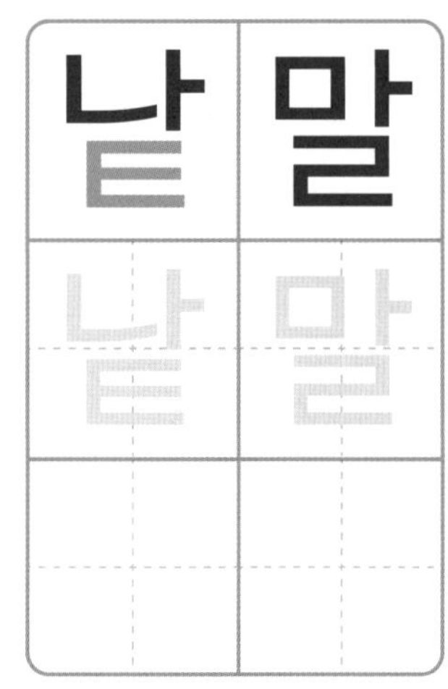

낱말

낱말

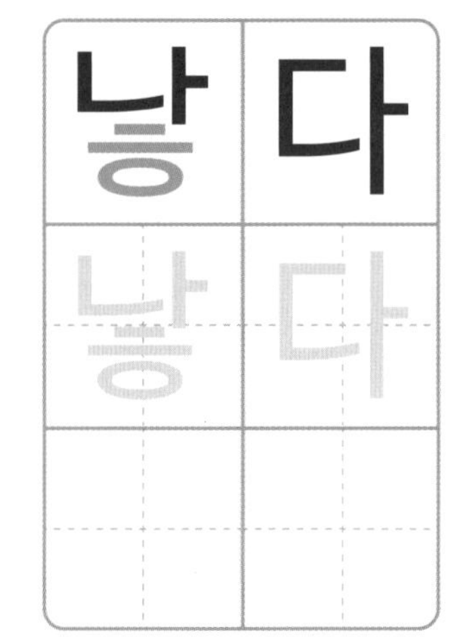

낳다

낳다

놓다

놓다

4 ㅅ ㅈ ㅊ 받침 글자

★ 글자의 모양을 생각하며 받침 있는 글자를 써 보세요.

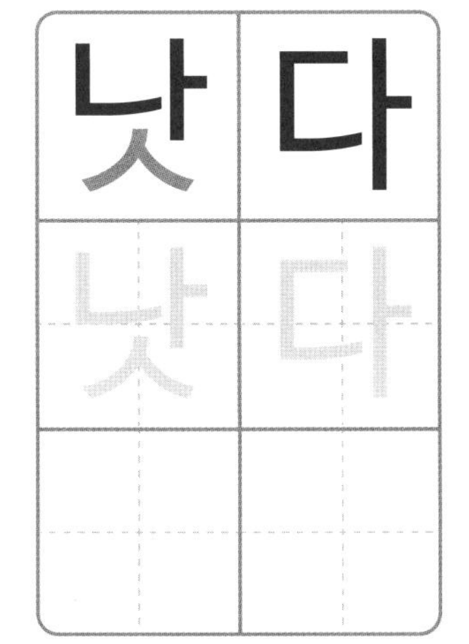

낫다 낫다

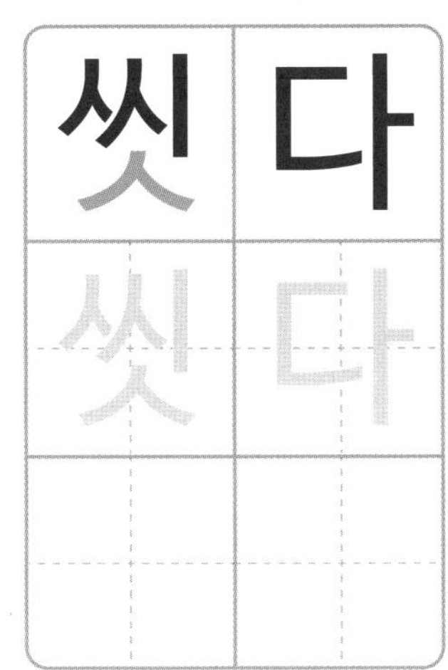

씻다 씻다

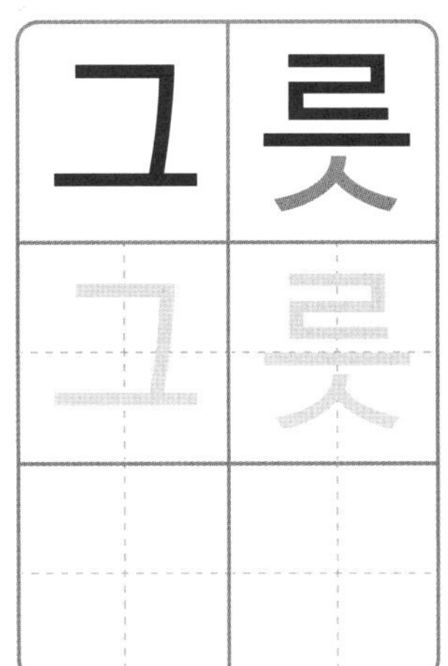

그릇 그릇

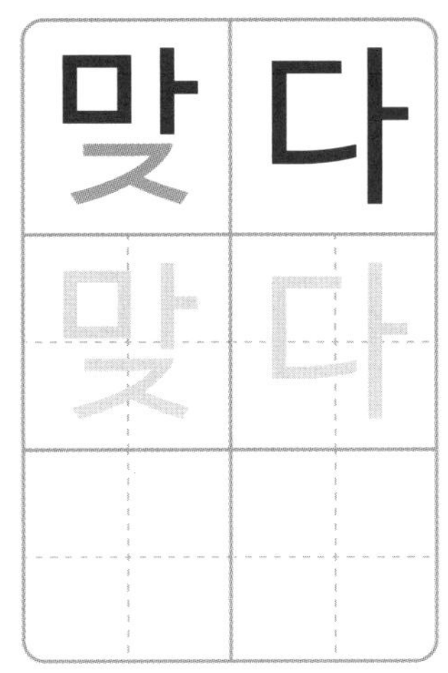

맞다 맞다

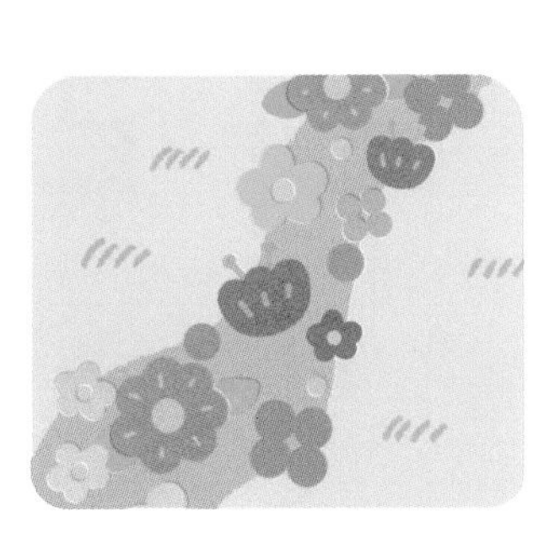

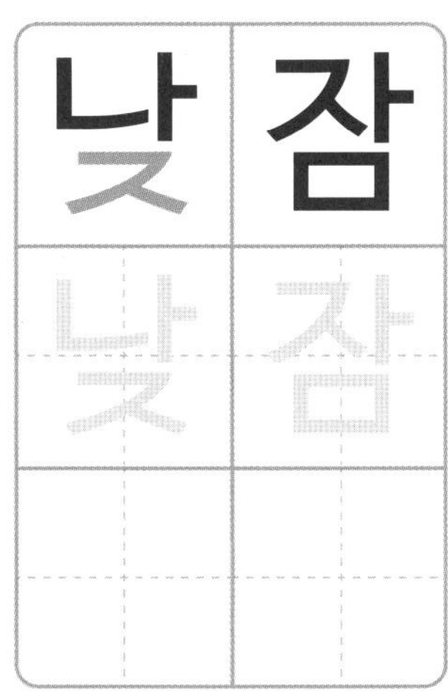

낮잠 낮잠

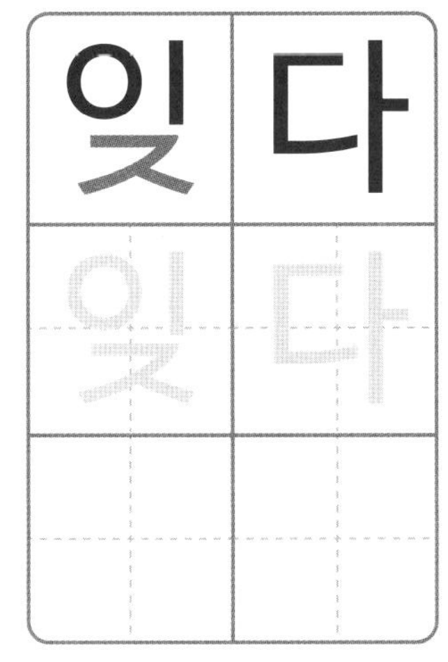

잊다 잊다

햇빛 햇빛

꽃길 꽃길

1 나의 몸

★ 나의 몸과 관련 있는 낱말을 그림에서 찾아 선으로 잇고 바르게 써 보세요.

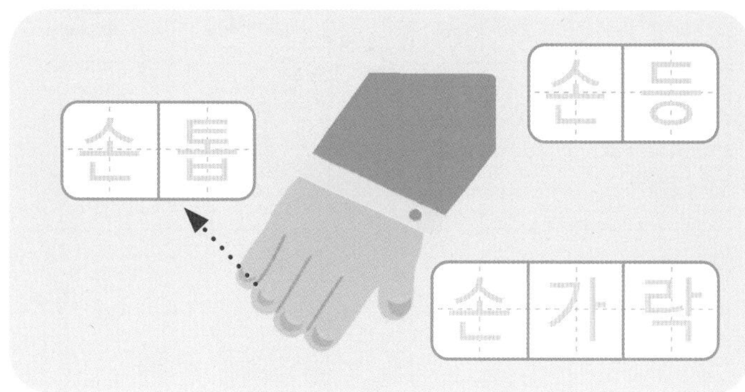

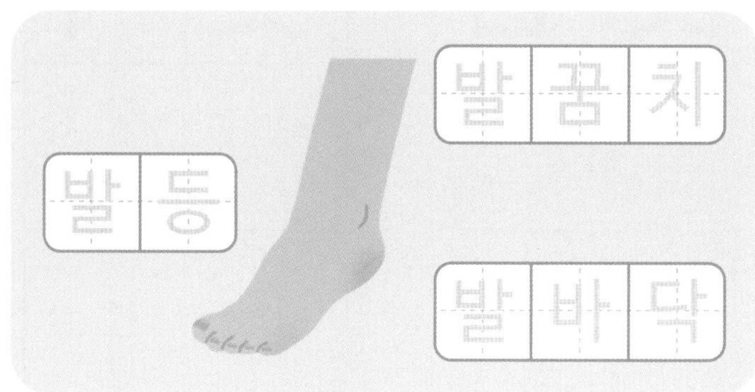

2 나의 몸이 하는 일

내 몸의 그림과 이름, 하는 일을 알맞게 선으로 잇고 써 보세요.

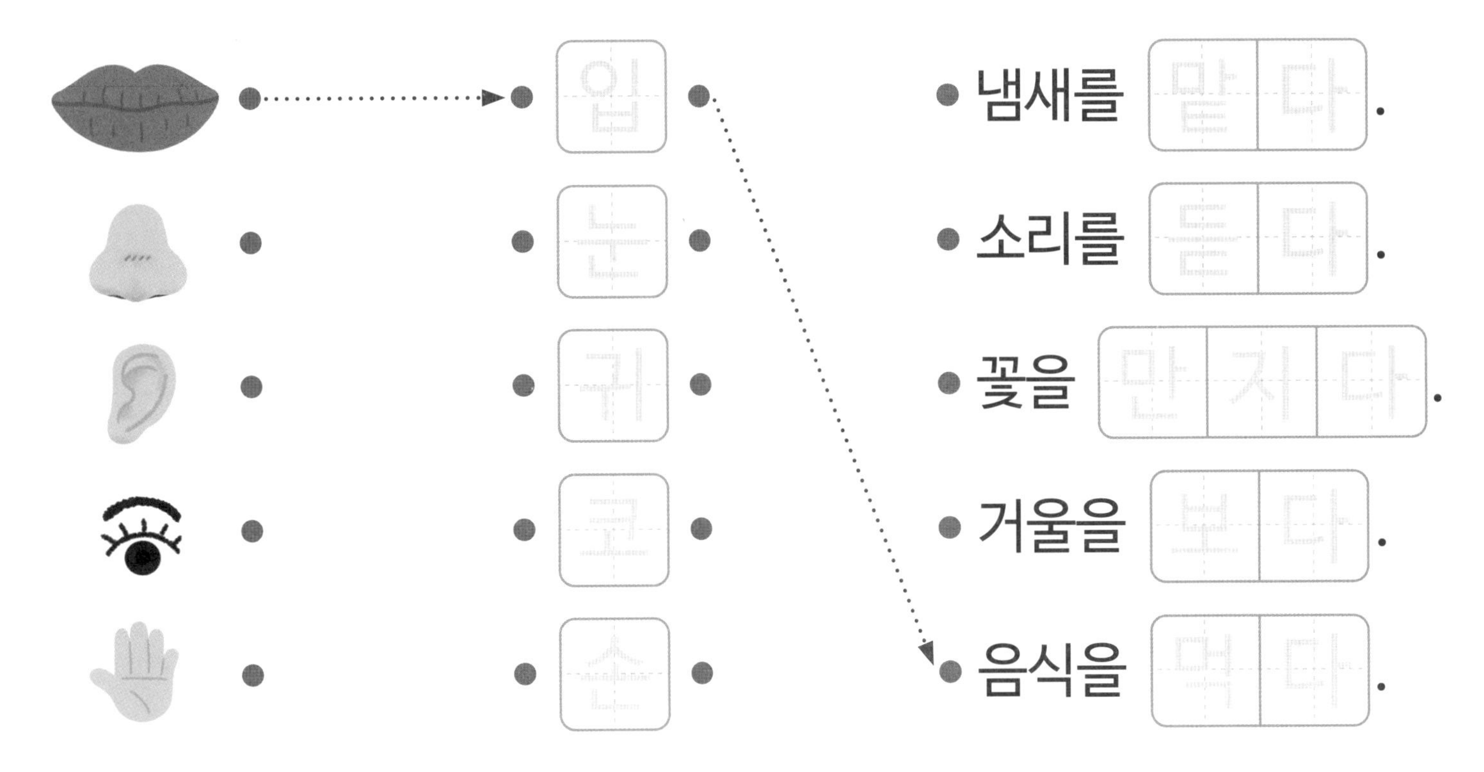

나의 움직임을 생각하며 낱말을 읽고 써 보세요.

정답 | 입-먹다, 코-맡다, 귀-듣다, 눈-보다, 손-만지다

3 가족

★ 가족을 나타내는 낱말을 읽고 바르게 써 보세요.

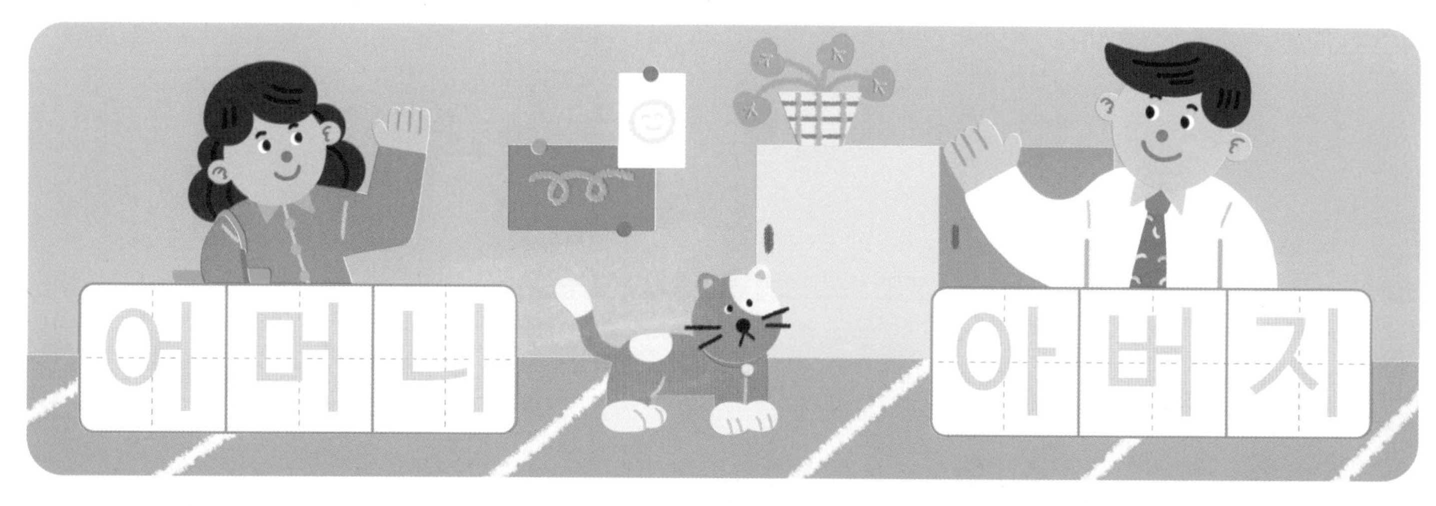

4 가족과 함께

★ 가족과 함께 하는 일을 생각하며 그림에 알맞은 낱말을 읽고 써 보세요.

나는 할머니와 함께 산다.

동생이 장난감을 정리한다.

★ 우리 가족이 좋아하는 음식을 생각하며 낱말을 읽고 써 보세요.

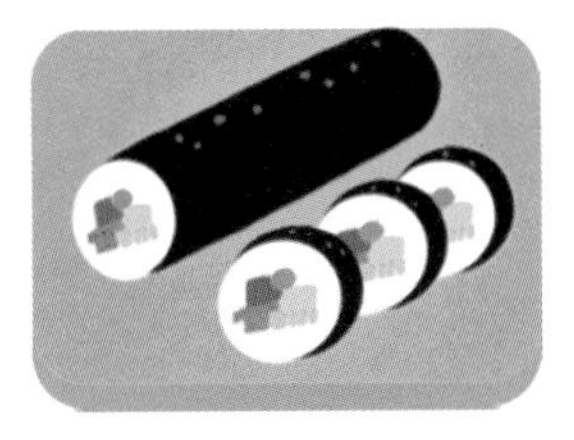

김밥이

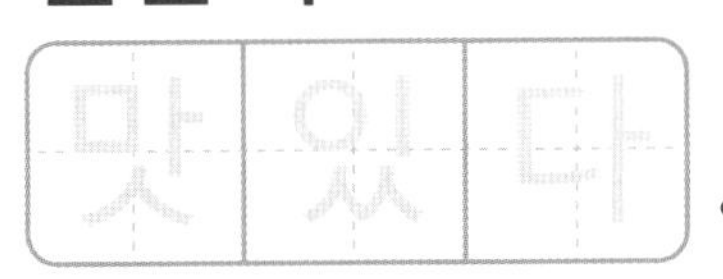

.

미역국이

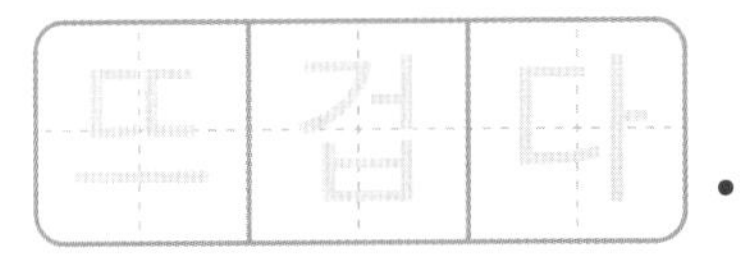

.

스파게티는

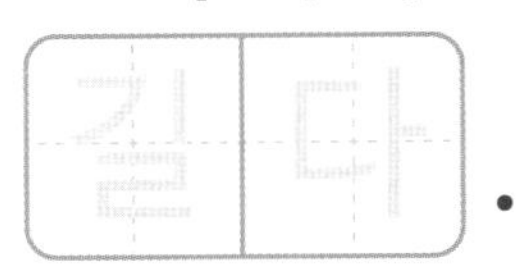

.

수박이

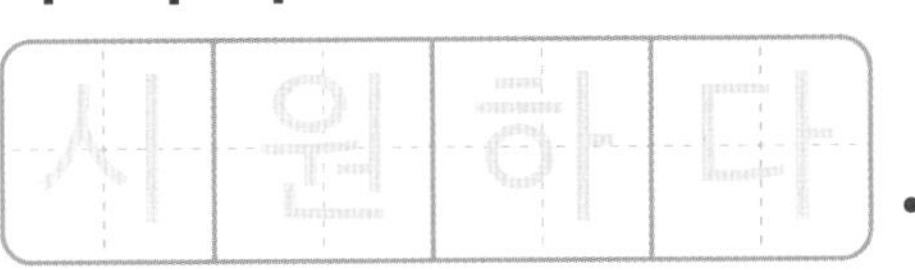

.

1 이웃

★ 우리 이웃과 관련 있는 낱말을 바르게 읽고 써 보세요.

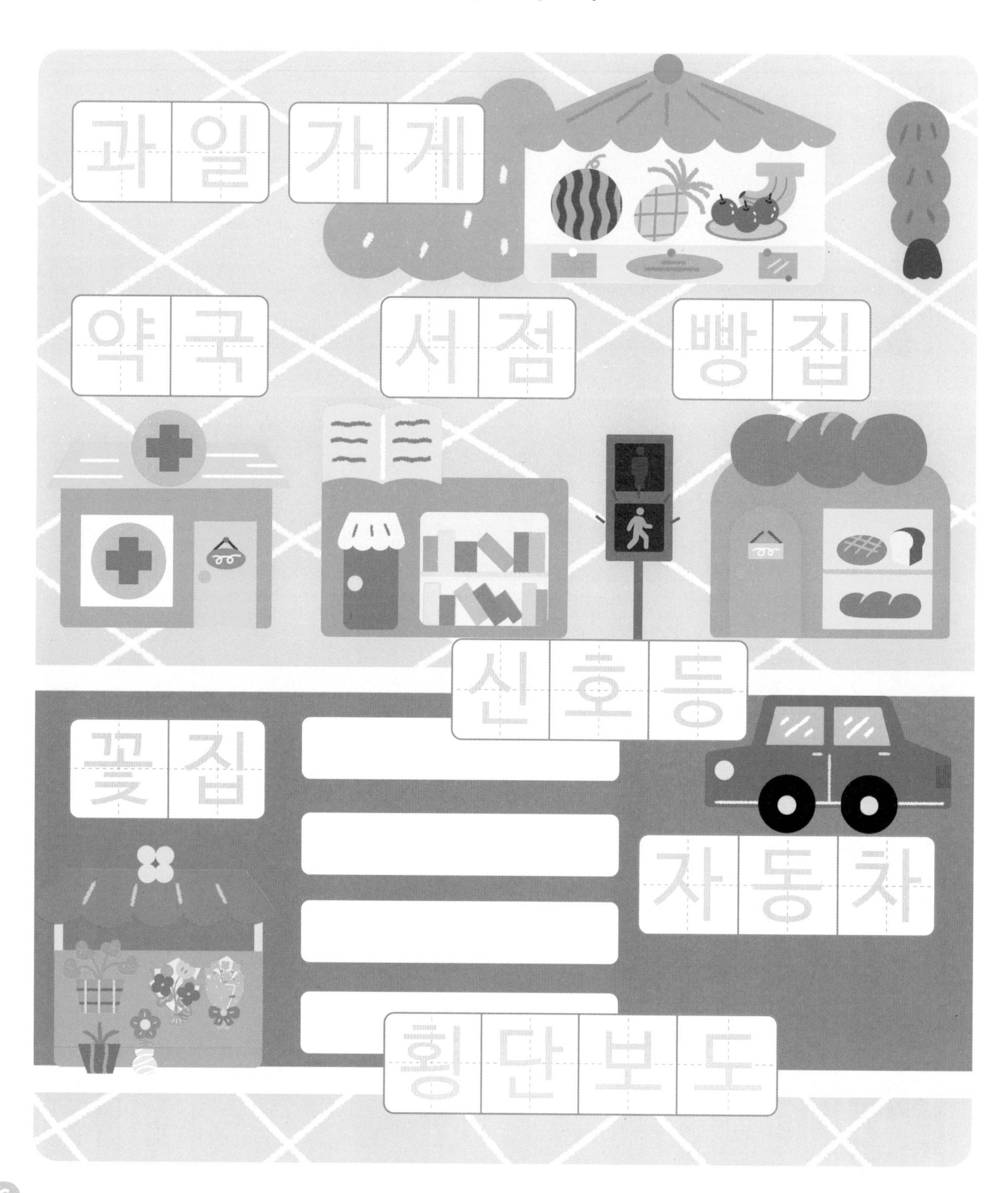

2 공공 기관

★ 우리를 도와주는 곳을 바르게 읽고 써 보세요.

★ 학교에서 누구를 만날까요? 그림을 보며 낱말을 읽고 써 보세요.

★ 학교 운동장에는 무엇이 있을까요? 그림을 보며 낱말을 읽고 써 보세요.

4 교실

★ 교실에는 무엇이 있을까요? 그림을 보며 낱말을 읽고 써 보세요.

★ 교실에서 내가 사용하는 물건은 무엇일까요? 그림을 보며 낱말을 읽고 써 보세요.

14승
인사와 마음 표현

1 인사말

친구의 하루를 살펴보며 알맞은 인사말을 연습하고 써 보세요.

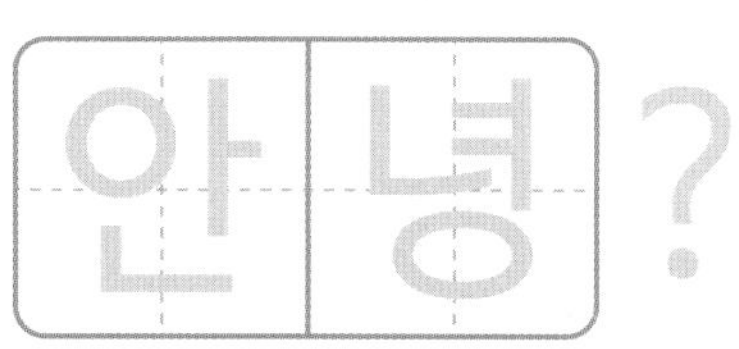

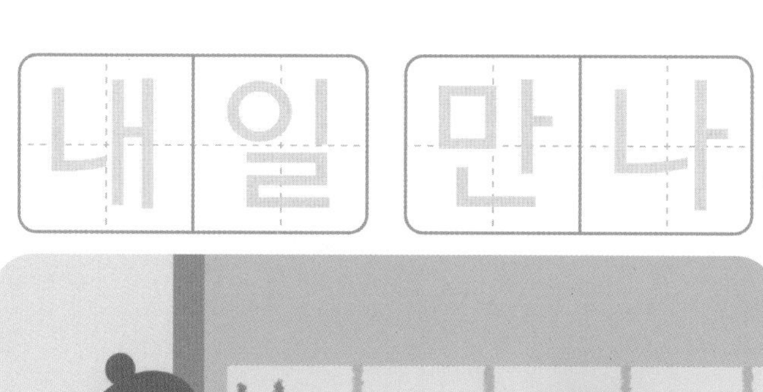

2 상황에 맞는 말

★ 그림의 상황에서 어떻게 말해야 할까요? 읽으면서 써 보세요.

3 마음 표현

마음을 표현하는 말을 쓰고 읽으며, 표정을 지어 보세요.

4 예쁘고 고운 말

★ 친구를 웃게 하는 말을 쓰고 읽어 보세요.

1 계절

사계절의 모습을 떠올리며 그림에 알맞은 낱말을 읽고 써 보세요.

2 날씨

★ 그림에 알맞은 계절과 날씨를 연결하고, 낱말을 써 보세요.

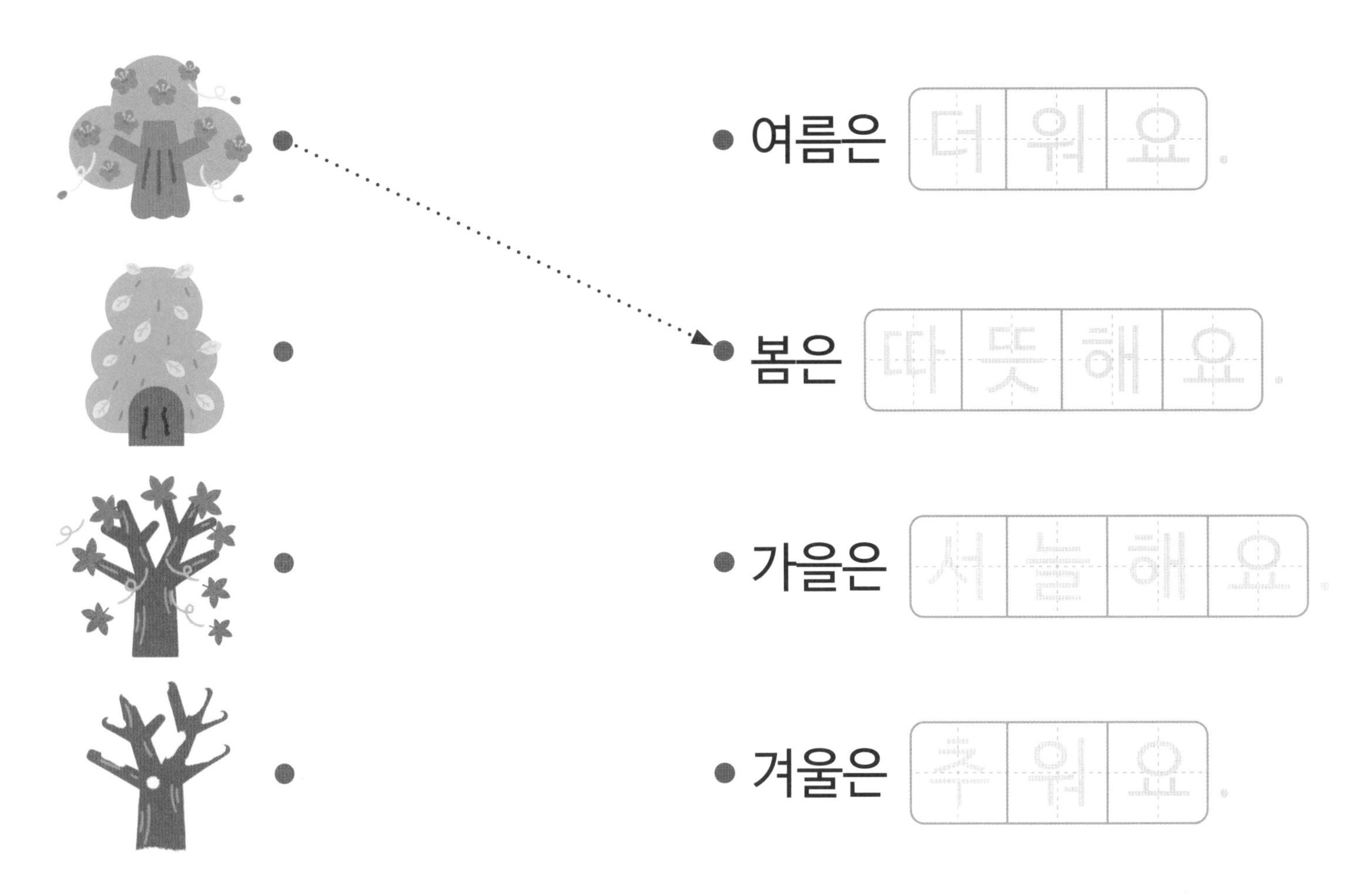

★ 그림의 날씨는 어떤가요? 선으로 연결하고 낱말을 써 보세요.

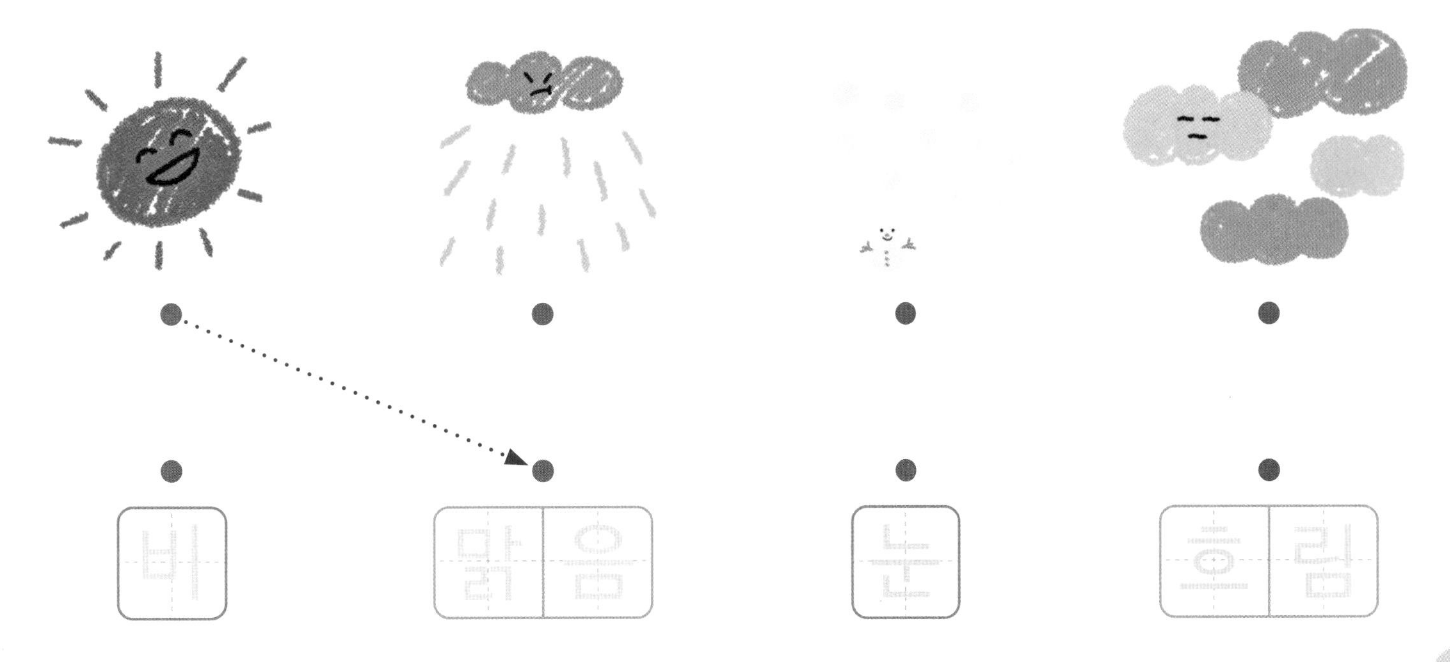

3 우리나라

우리나라 대한민국을 나타내는 것을 선으로 잇고 써 보세요.

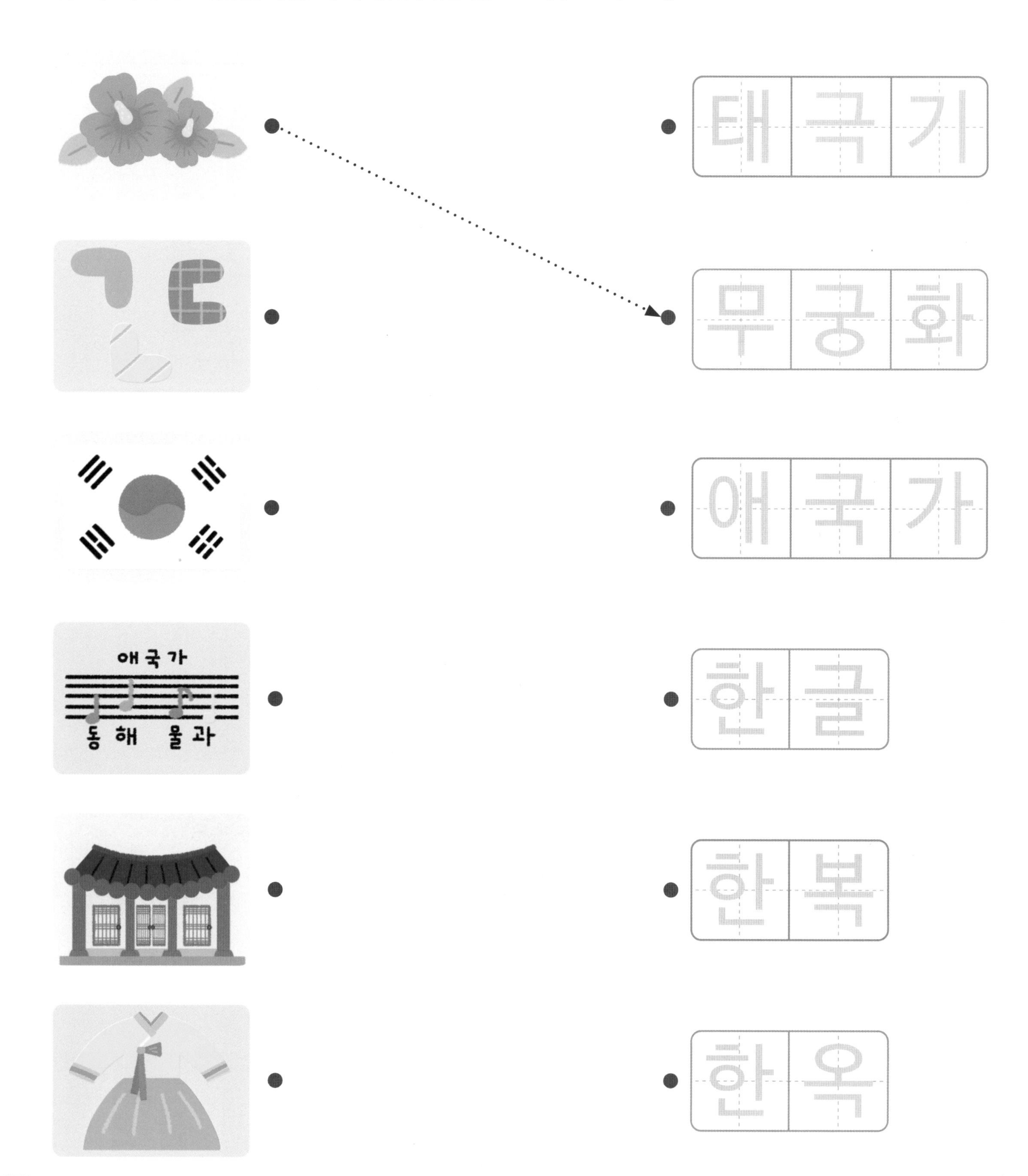

4 비교하는 말

★ 그림에 알맞은 비교하는 낱말을 읽고 써 보세요.

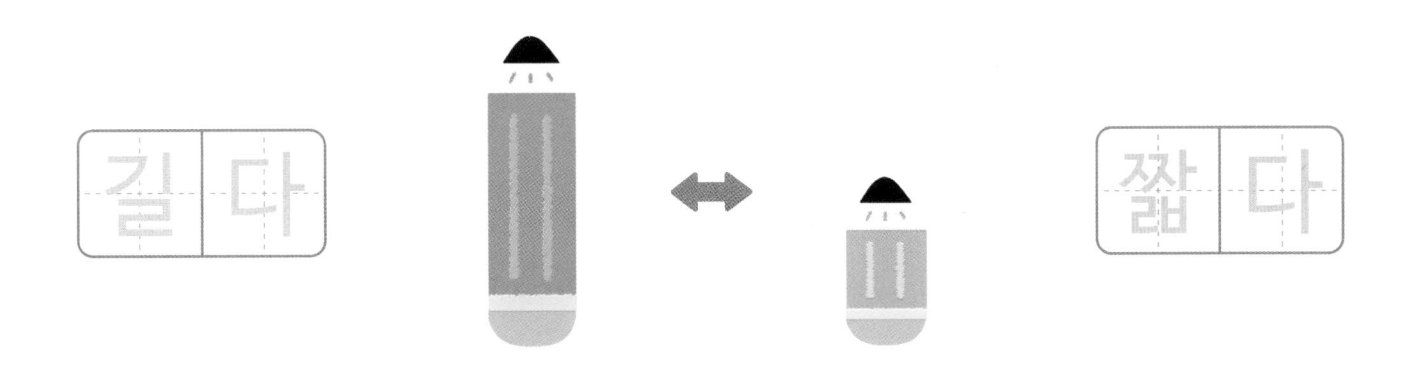

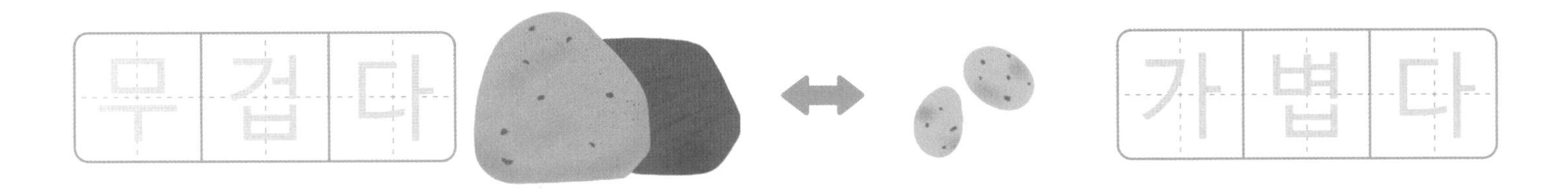

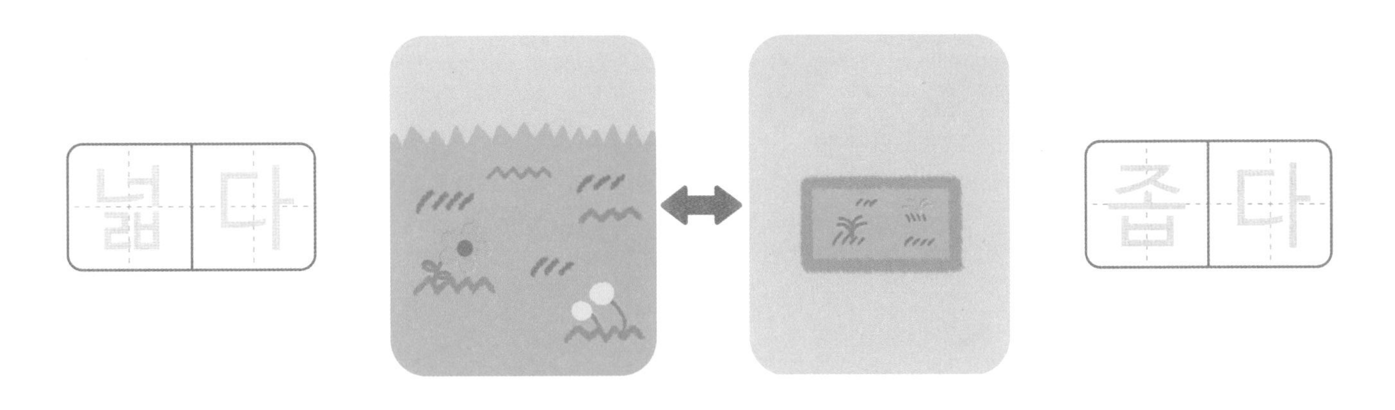

1 흉내 내는 말

동물 그림을 보고 흉내 내는 말을 쓰고 읽어 보세요.

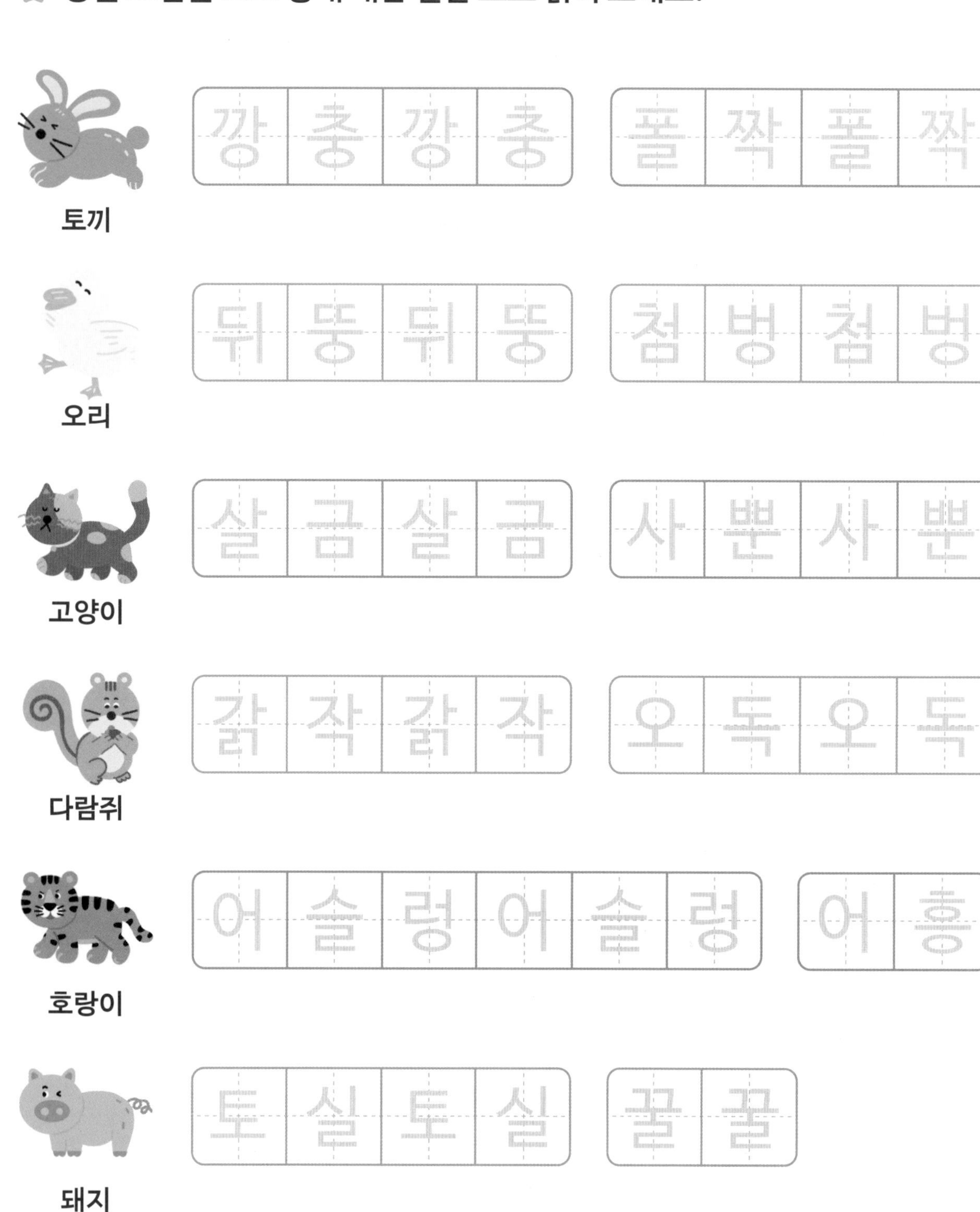

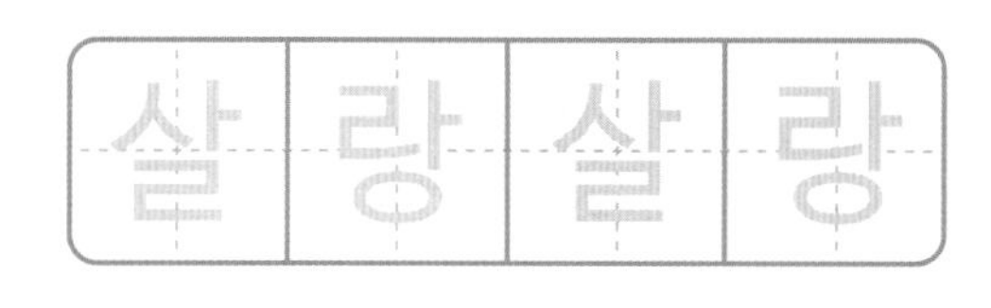

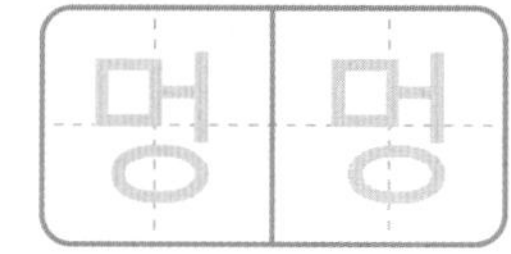

강아지

2 흉내 내는 말

★ 그림에 어울리는 흉내 내는 말을 골라 ○ 하고 써 보세요.

걈걈

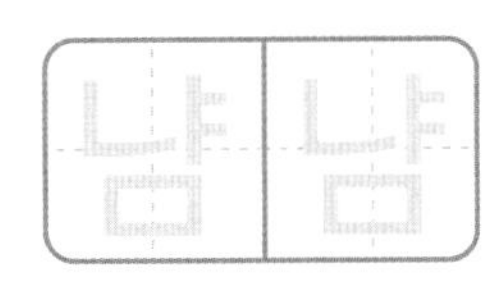

먹어요.

똑똑

뚠뚠

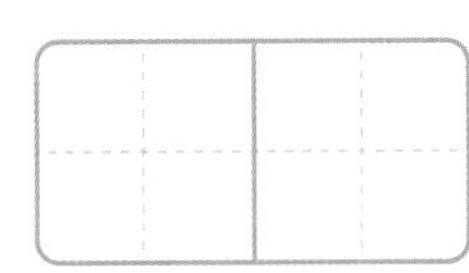

사과를 따요.

으앙

오잉

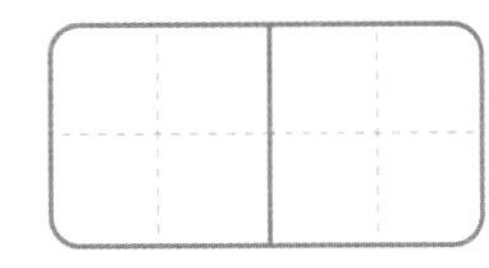

울어요.

랄라라

라말마

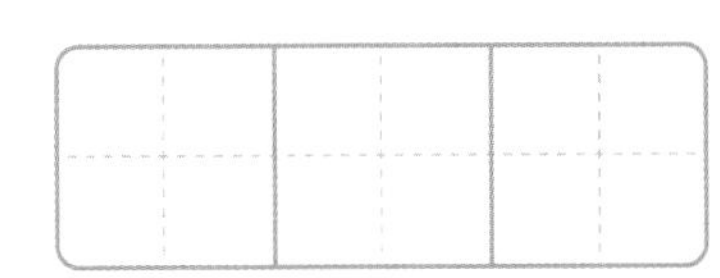

노래해요.

나풀나풀

니풀니풀

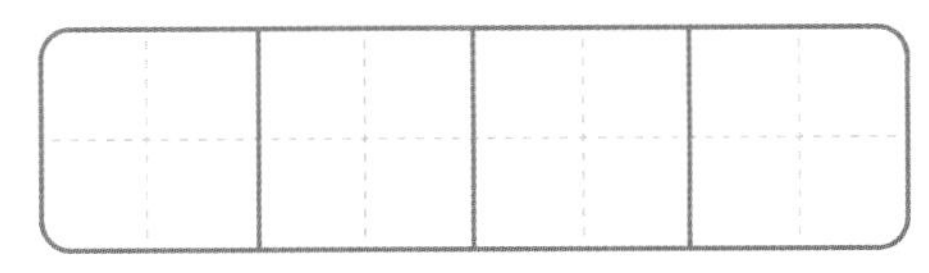

날아요.

꿀꺽꿀꺽

꺽꿀꺽꿀

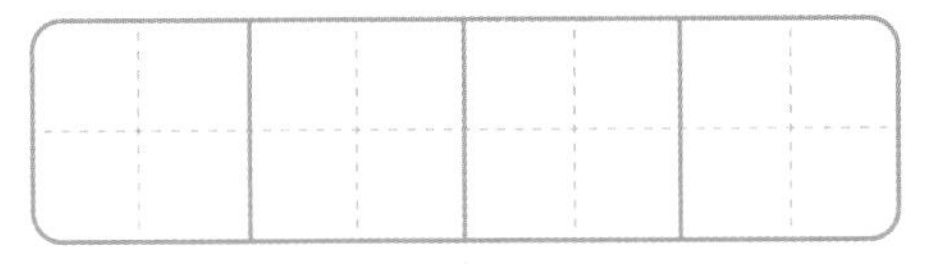

마셔요.

정답 | 냠냠 똑똑 으앙 랄라라 나풀나풀 꿀꺽꿀꺽

3 동시 쓰기

재미있는 의성어, 의태어를 따라 쓰면서, 동시를 소리 내어 읽어 보세요.

오리

권태응

둥둥 엄마 오리,

못물 위에 둥둥.

동동 아기 오리,

엄마 따라 동동.

풍덩 엄마 오리,

못물 속에 풍덩.

퐁당 아기 오리,

엄마 따라 퐁당.

4 동시 쓰기

재미있는 의성어, 의태어를 따라 쓰면서, 동시를 소리 내어 읽어 보세요.

시계

시계는 아침부터 **똑딱똑딱**

시계는 아침부터 똑딱똑딱

언제나 같은 소리 똑딱똑딱

부지런히 일해요.

시계는 밤이 돼도 **똑딱똑딱**

시계는 밤이 돼도 똑딱똑딱

모두들 잠을 자도 똑딱똑딱

쉬지 않고 가지요.

1 낱말 알기

★ 그림을 보고 어울리는 낱말을 써 보세요.

곰이 [ ][ ] 를 해요.

강아지가 [ ][ ][ ] 를 타요.

여우가 [ ][ ][ ] 를 해요.

[ ][ ][ ] 가 훌라후프를 돌려요.

사슴이 [ ][ ][ ] .

정답 | 야구 자전거 줄넘기 원숭이 달려요

2 낱말 선택하기

★ 그림을 보고 어울리는 낱말을 써서 문장을 완성해 보세요.

보기 참새가 자동차가

[　　　　] 날아갑니다.

[　　　　] 지나갑니다.

보기 노래를 피아노를

[　　　　] 부릅니다.

[　　　　] 칩니다.

보기 먹습니다 깎습니다

나는 김밥을 [　　　　].

아버지는 사과를 [　　　　].

정답 | 참새가 자동차가 노래를 피아노를 먹습니다 깎습니다

3 낱말 분류하기

★ 그림에 알맞은 낱말을 선으로 잇고, 소리 내어 읽어 보세요.

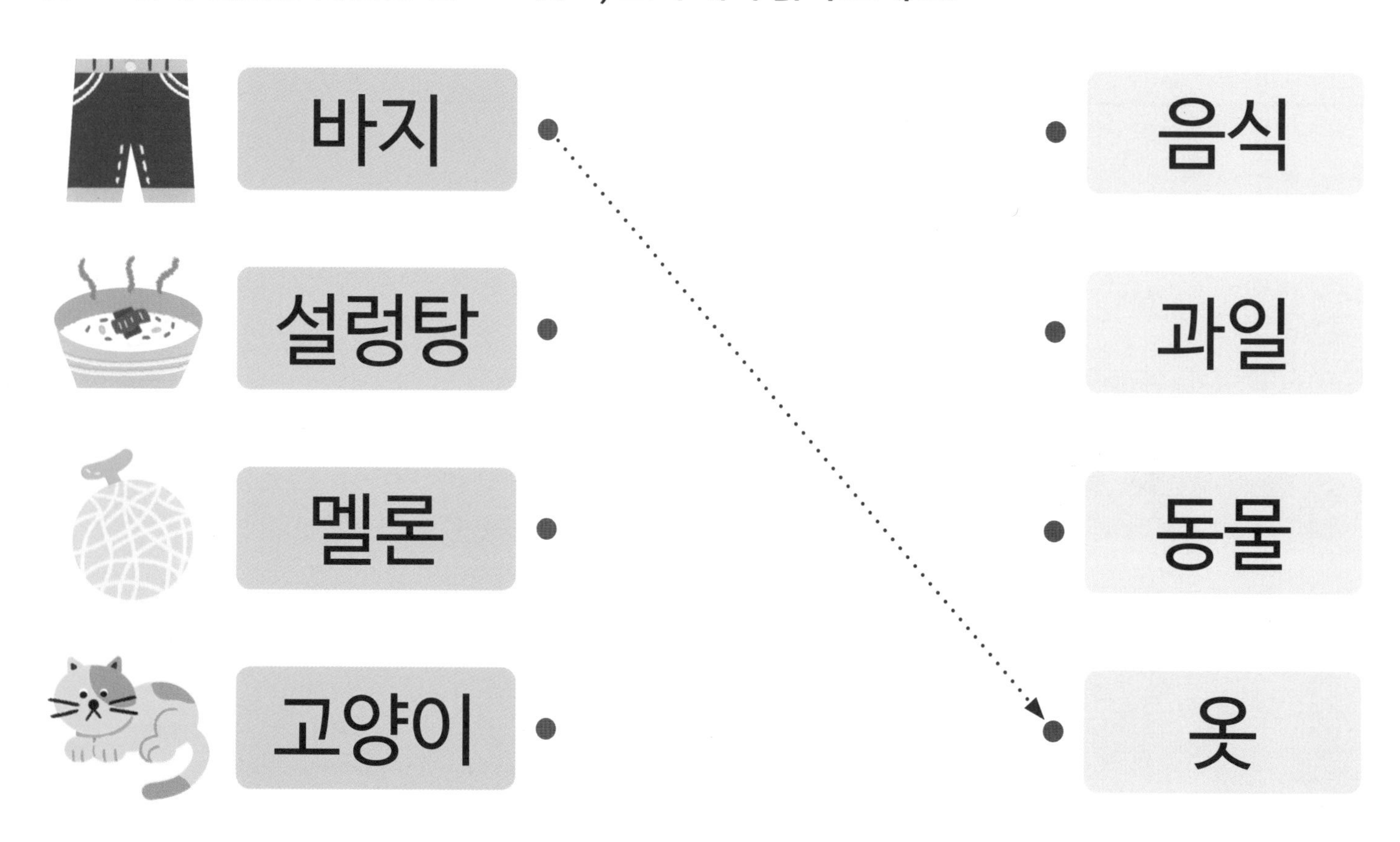

★ 선으로 이은 낱말을 이용해 문장을 만들어 쓰고 읽어 보세요.

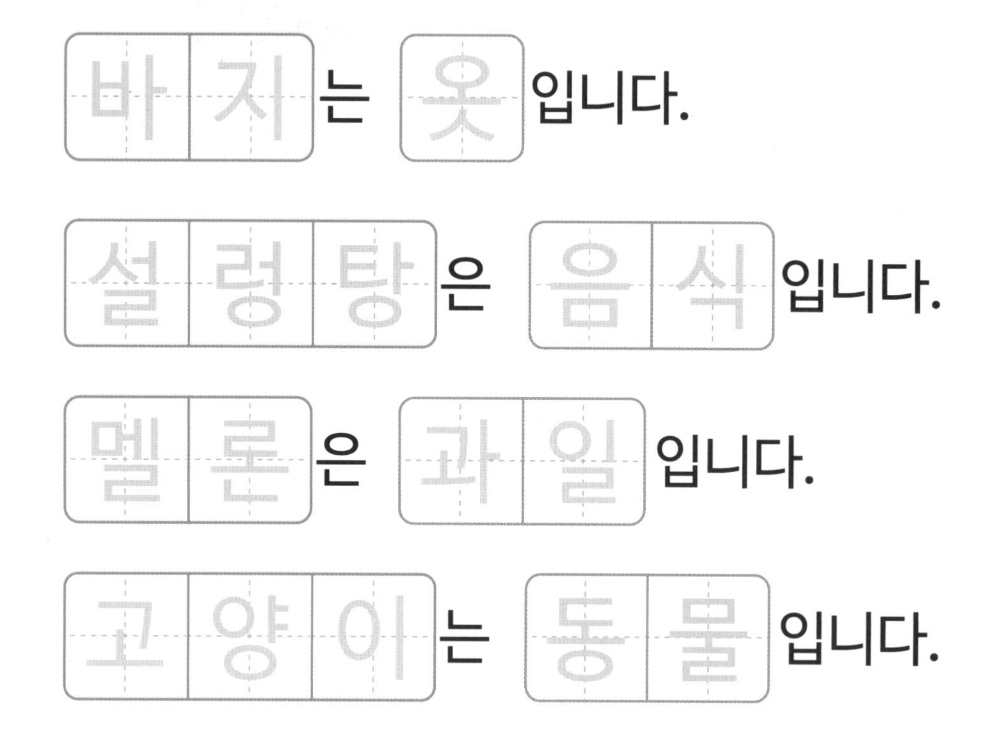

4 문장 쓰기

★ 길을 따라가 그림에 알맞은 낱말을 찾아 쓰고 소리 내어 읽어 보세요.

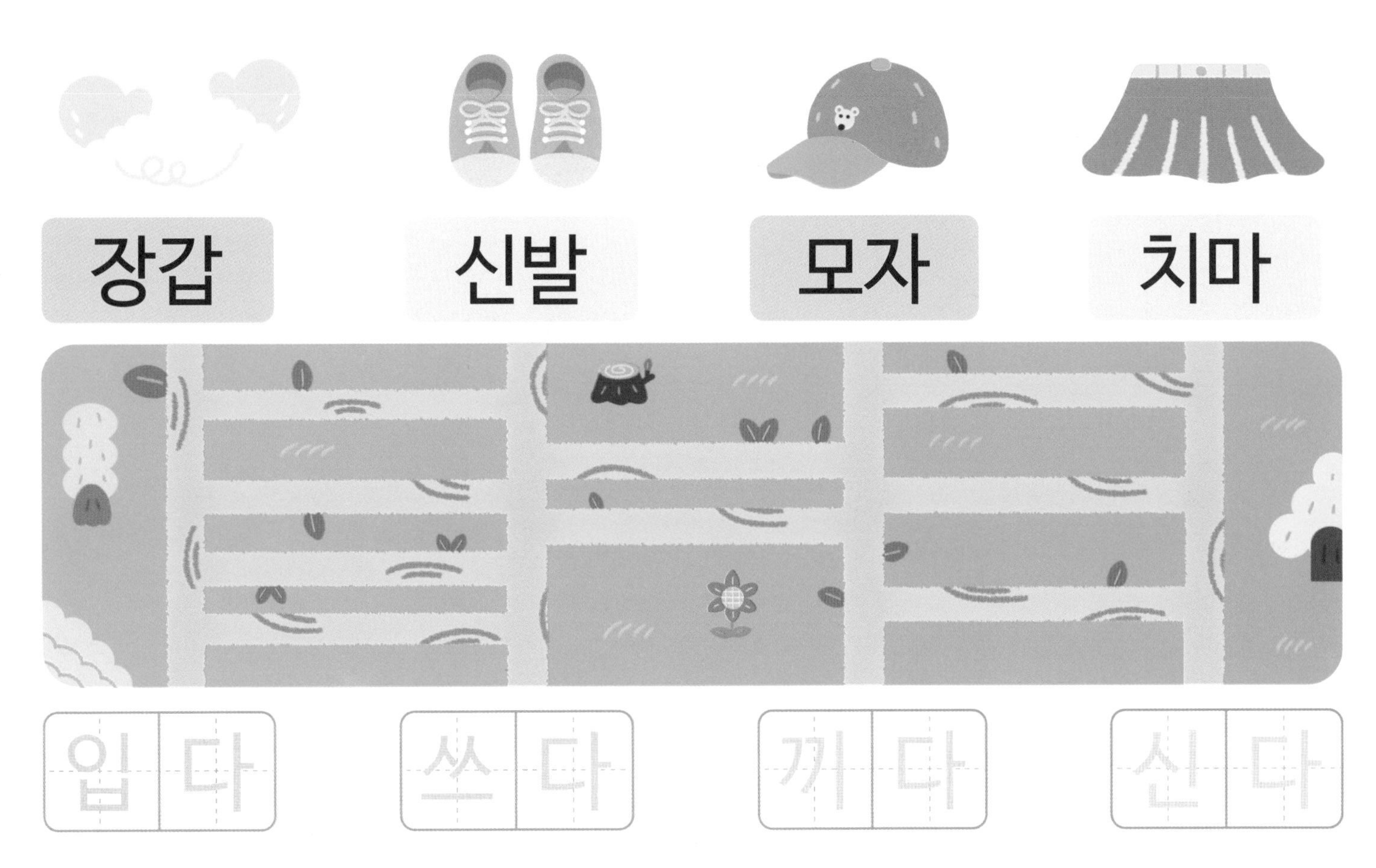

★ 위의 낱말을 사용해 문장을 만들어 쓰고 읽어 보세요.

정답 | 끼다 신다 쓰다 입다

문장 부호

문장을 이해하기 쉽게 도와주는 부호를 문장 부호라고 해요.
문장 부호가 있는 곳은 띄어 읽어요.

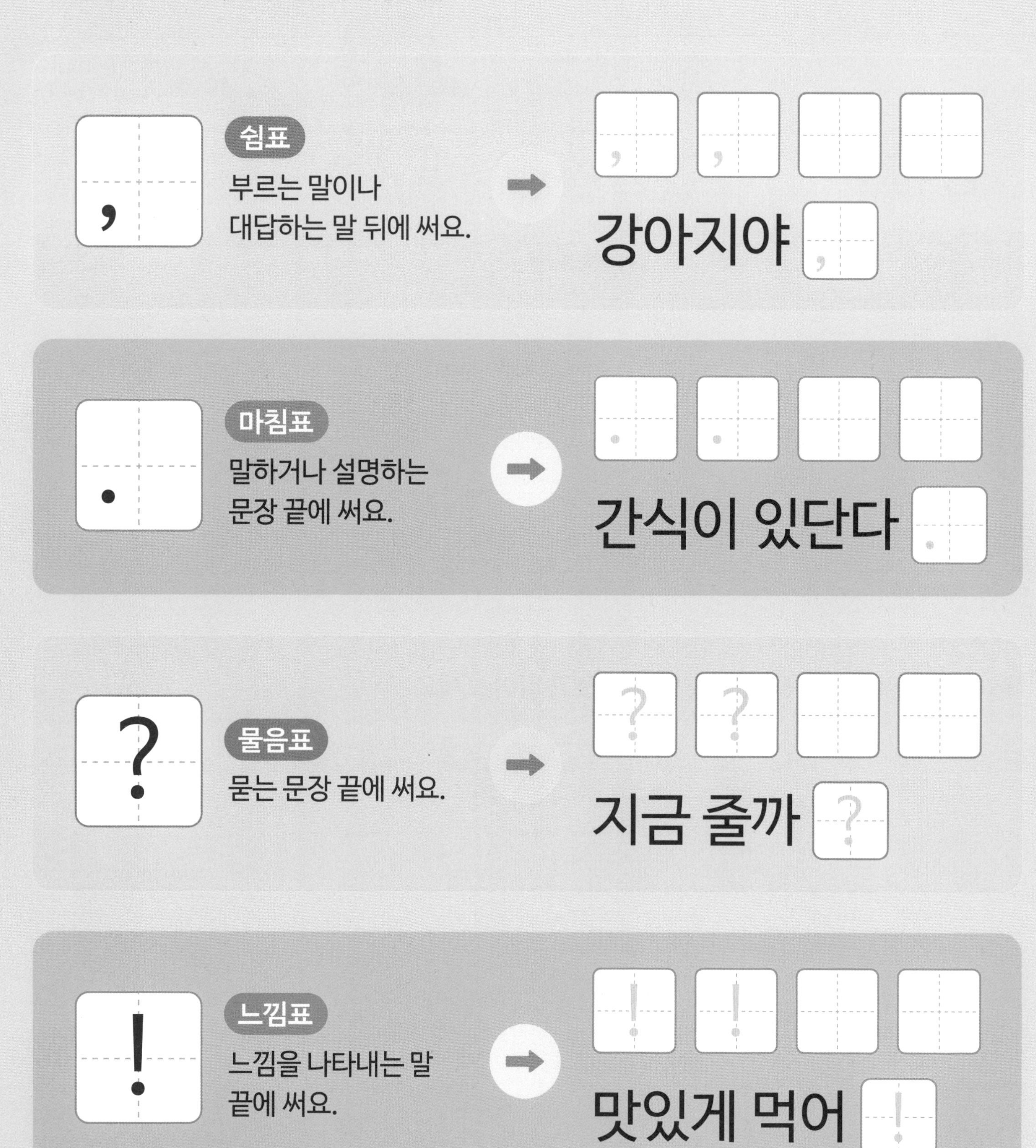

띄어쓰기

★ 띄어쓰기에 따라 문장의 뜻이 달라져요.
그림에 알맞은 문장이 되도록 띄어쓰기를 하고 바르게 읽어 보세요.

① 개미가 V 방에 V 들어가요.

② 개미 V 가방에 V 들어가요.

완승

받아쓰기

1 1글자 연습

★ 알맞은 받침을 생각하며 소리 내어 읽고 써 보세요.

낱말을 순서대로 불러 주며
103쪽의 받아쓰기를 해 보세요.

1 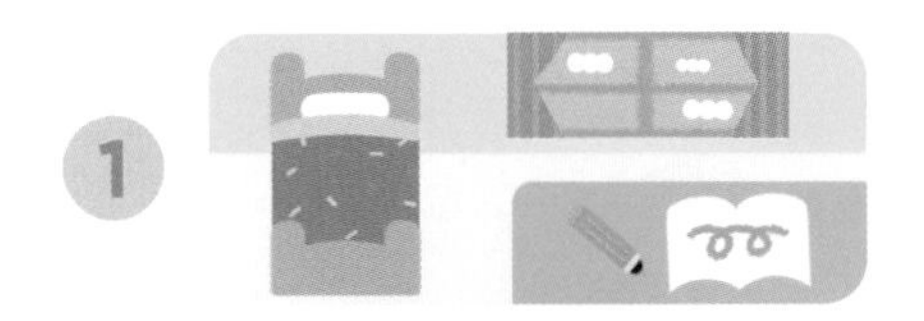 방 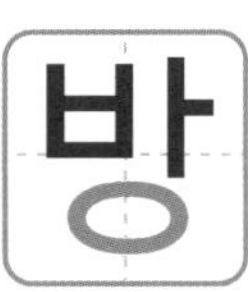 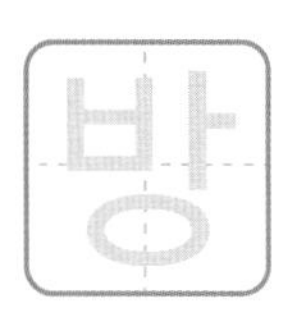 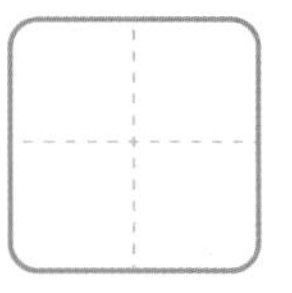 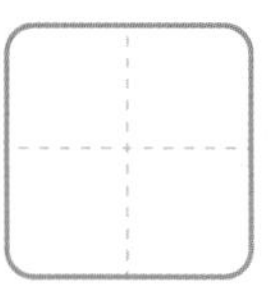 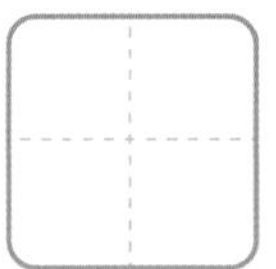

2  꿈  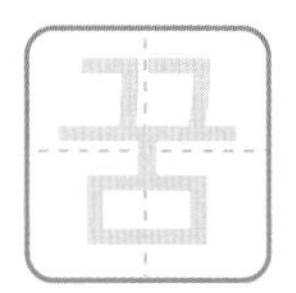 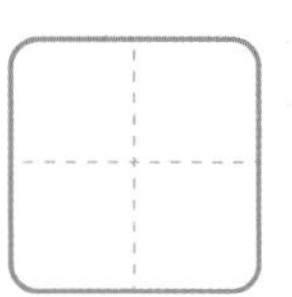 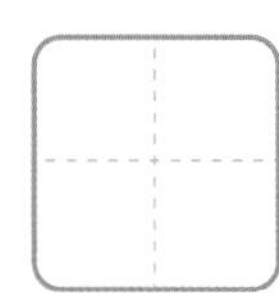 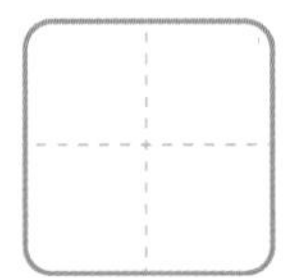

3  문  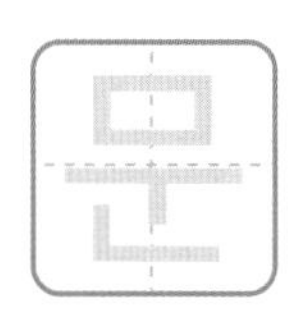 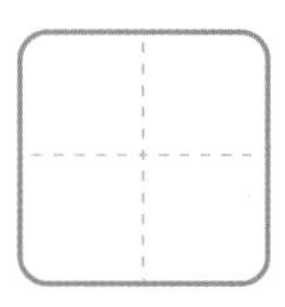 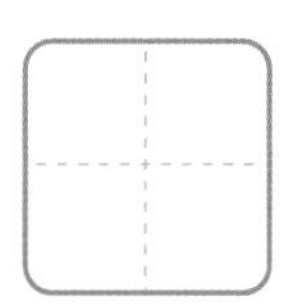 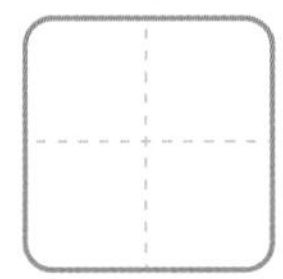

4  별  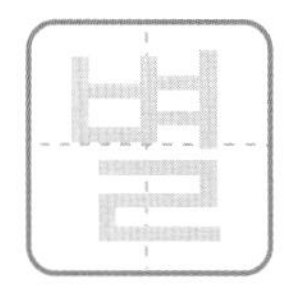 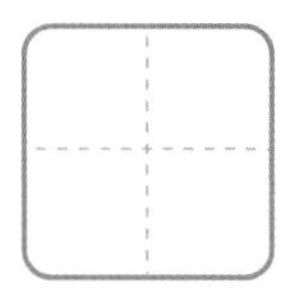 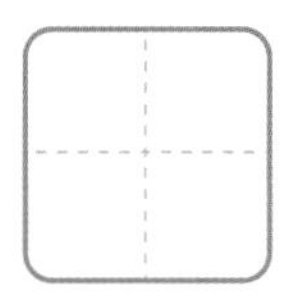 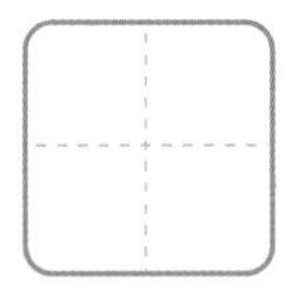

5  집  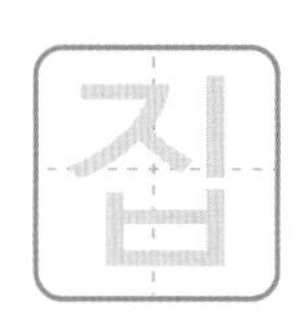 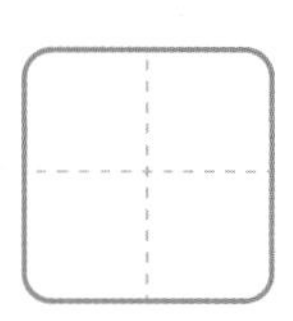 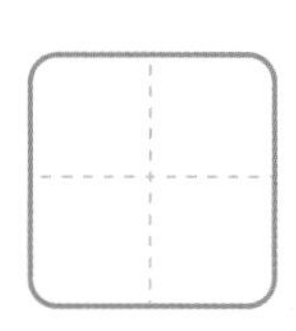 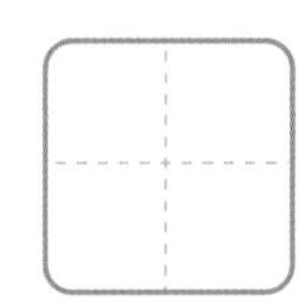

6  숲  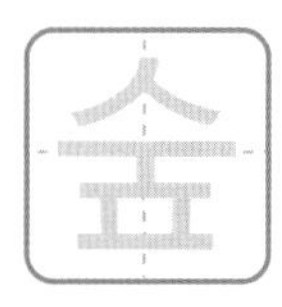 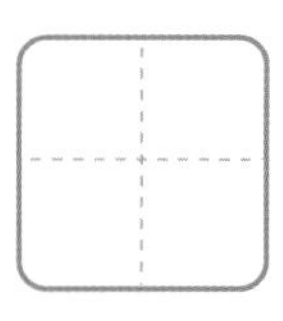 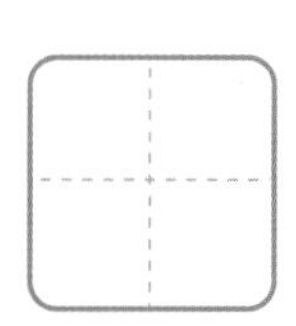 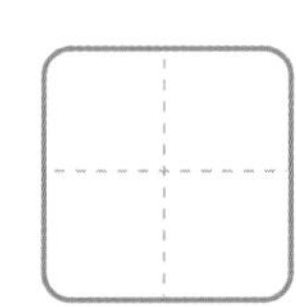

 7  붓  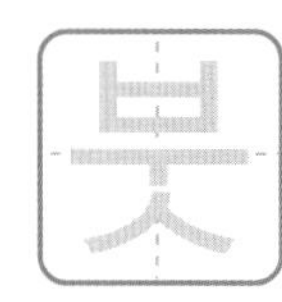 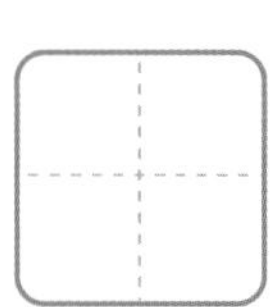 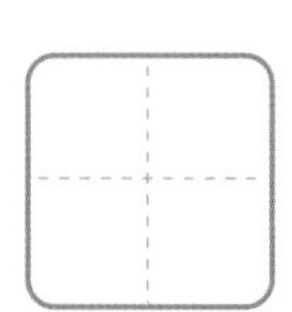 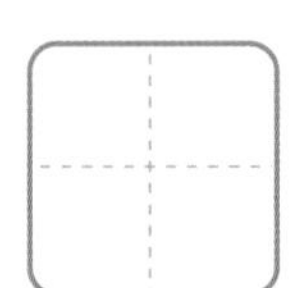

 8  낮  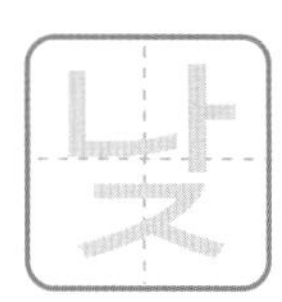 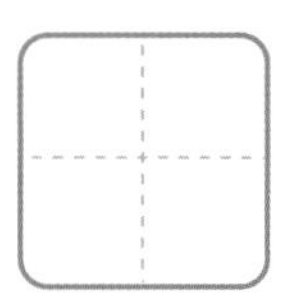 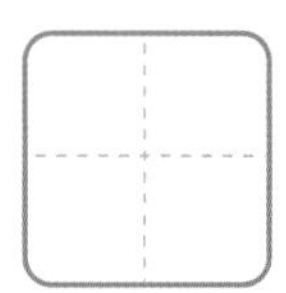 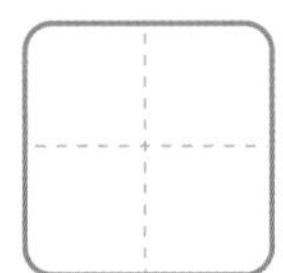

 9  윷  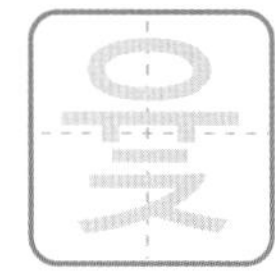 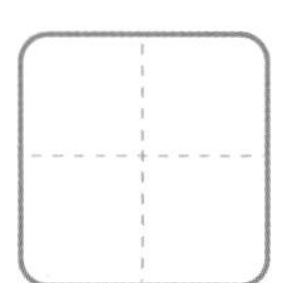 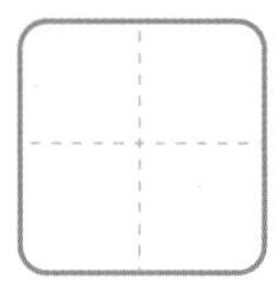 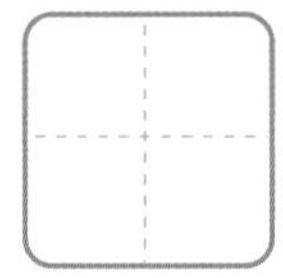

 10 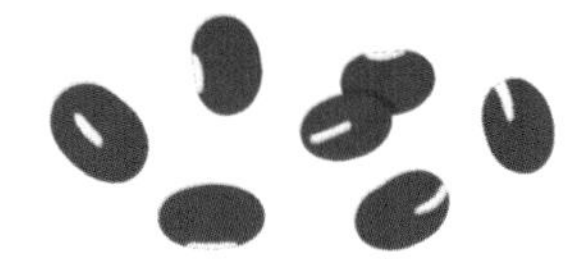 팥  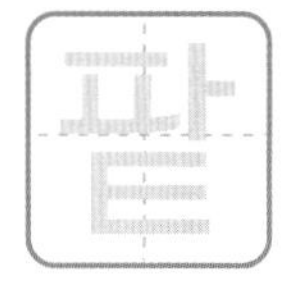 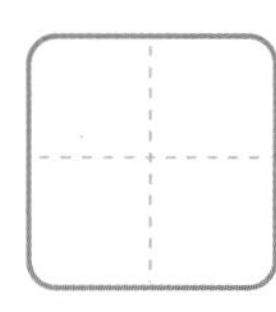 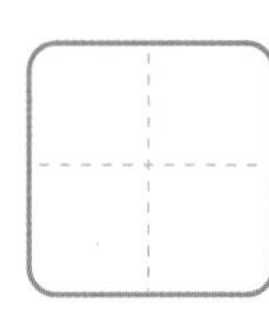 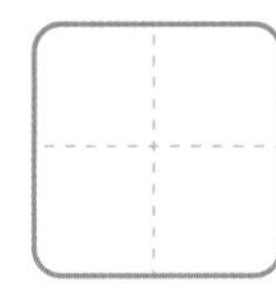

2 2글자 연습

1  

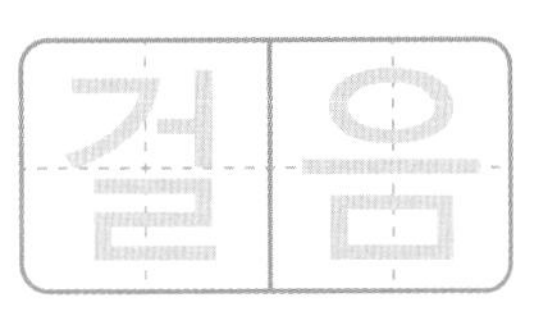

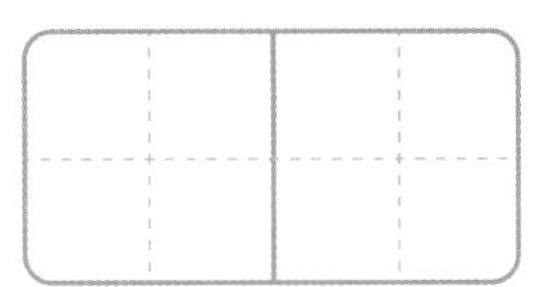

2  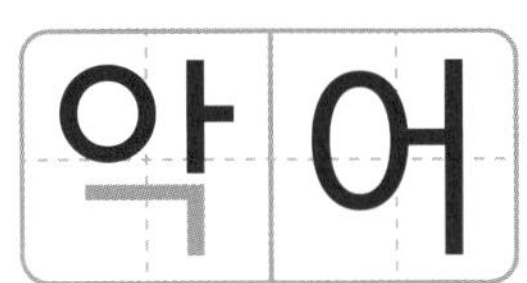

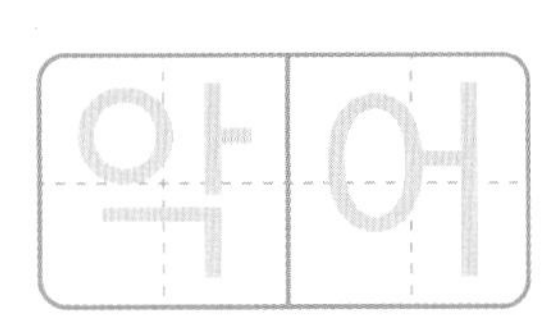

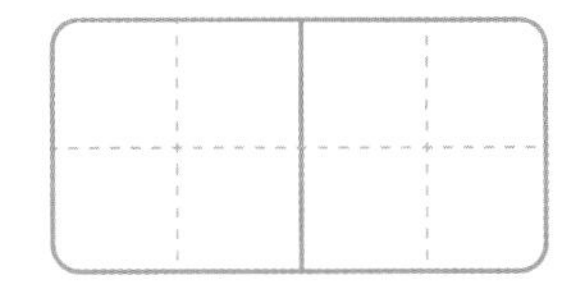

3  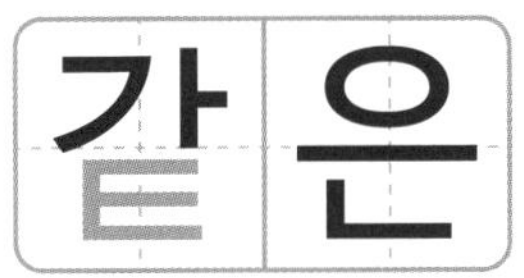

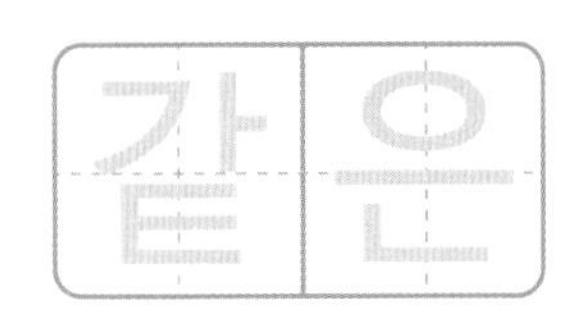

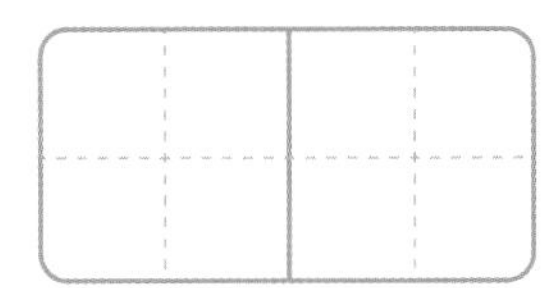

4  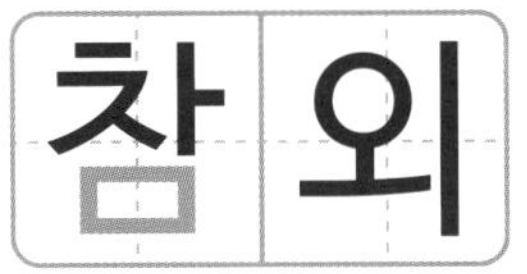

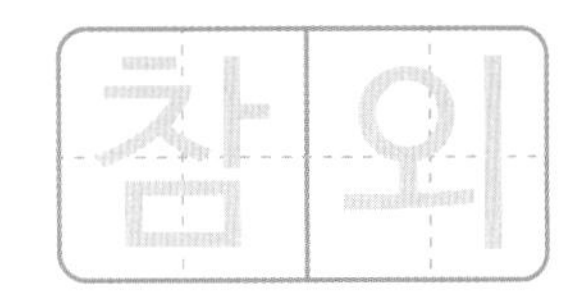

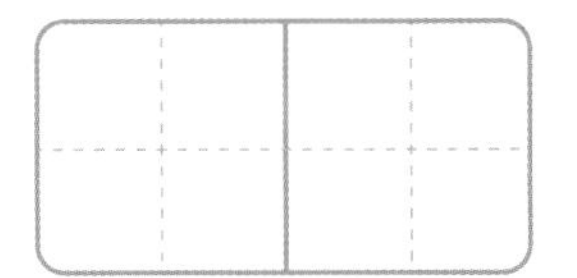

5  

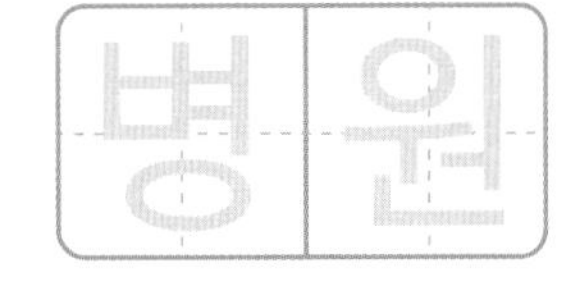

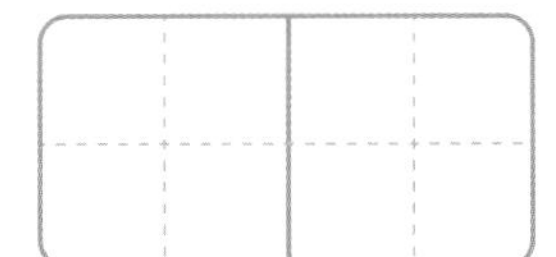

6 

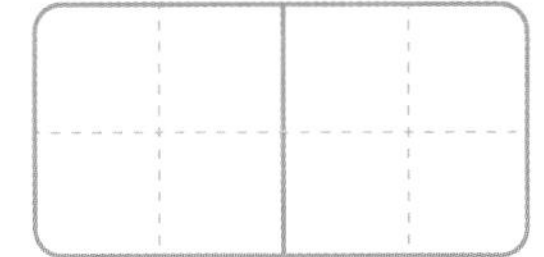

7  

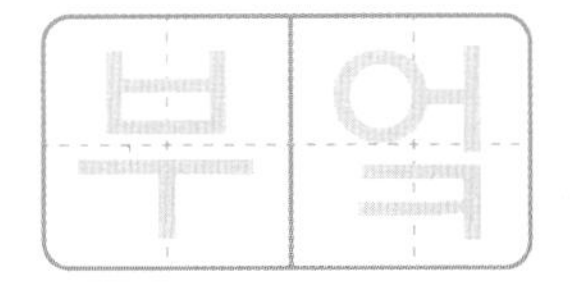

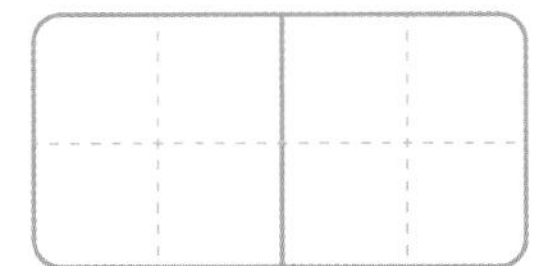

8 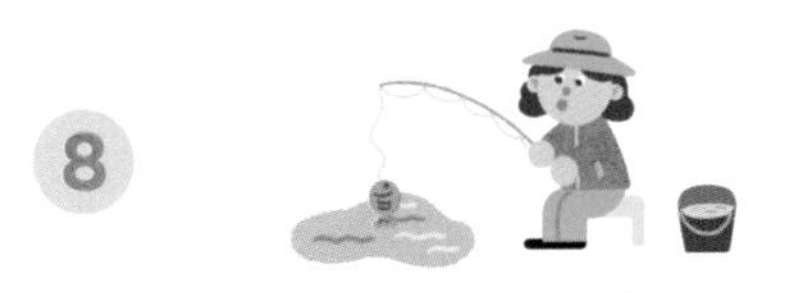 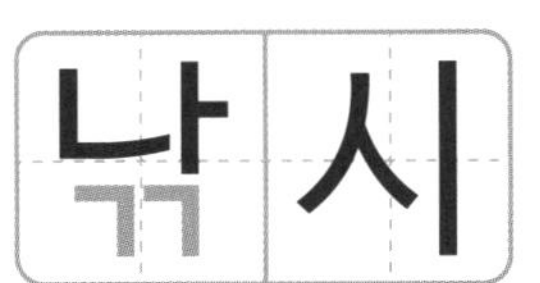

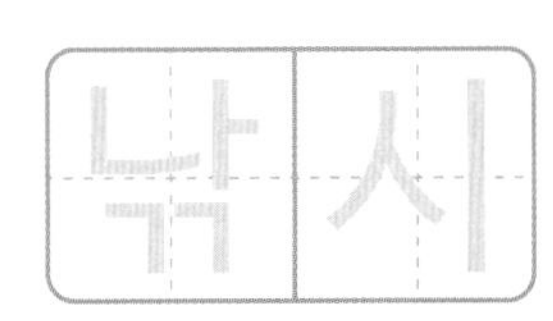

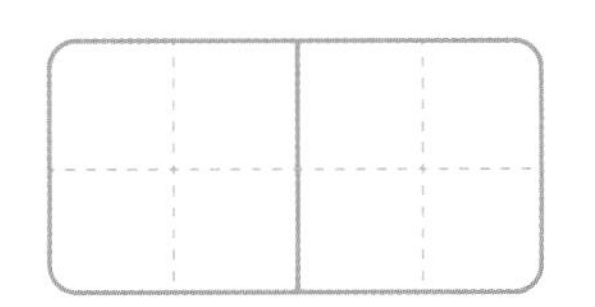

9  

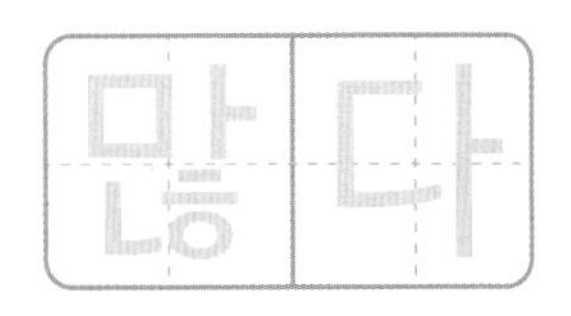

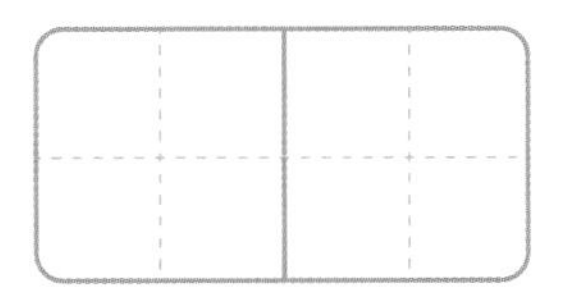

10  

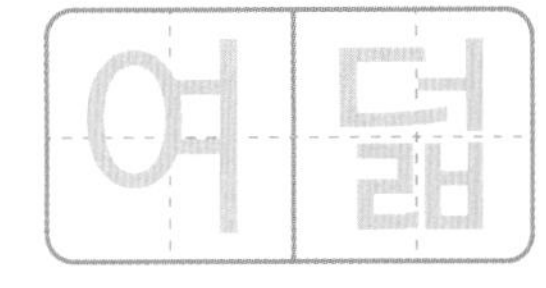

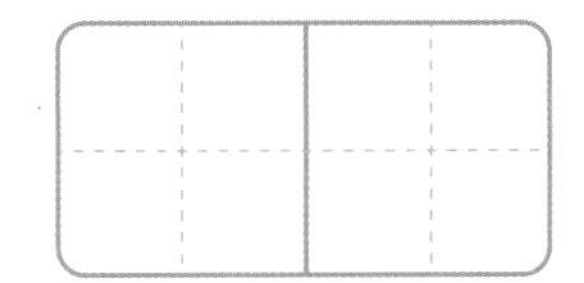

3 3글자 연습

소리와 다른 글자에 주의하며 소리 내어 읽고 써 보세요.

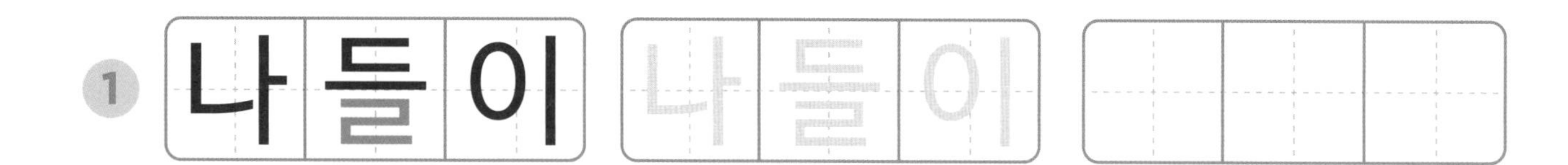

1 나들이 나들이

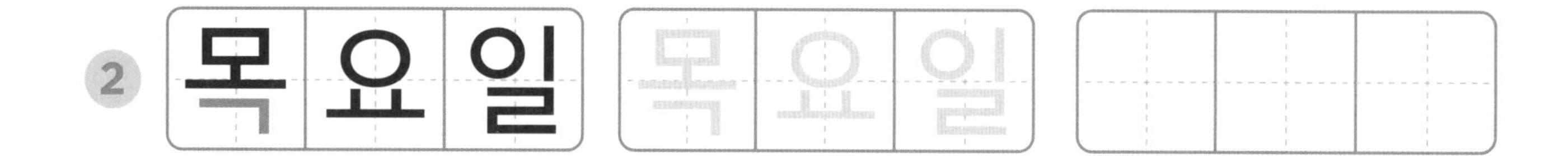

2 목요일 목요일

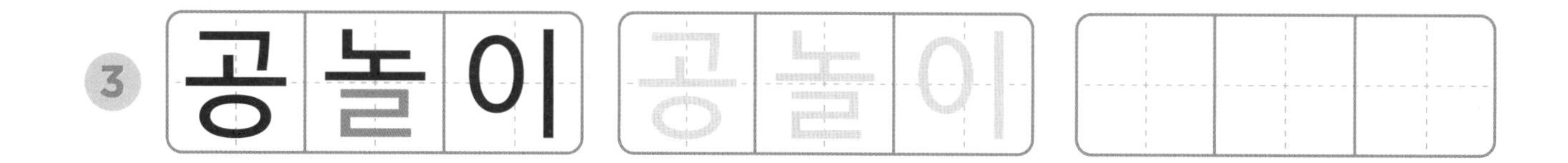

3 공놀이 공놀이

4 나뭇잎 나뭇잎

5 볶음밥 볶음밥

6 옮기다 옮기다

4 4글자 연습

★ 소리 내어 읽고 정확하게 써 보세요.

1 할아버지 할아버지

2 미끄럼틀 미끄럼틀

3 사이좋은 사이좋은

4 횡단보도 횡단보도

5 손톱깎이 손톱깎이

6 재미있게 재미있게

5 문장 연습

소리와 다른 글자에 주의하며 문장을 소리 내어 읽고 써 보세요.

1 

같이 놀자.

같이 놀자.

2 

꾀를 냈어요.

꾀를 냈어요.

3 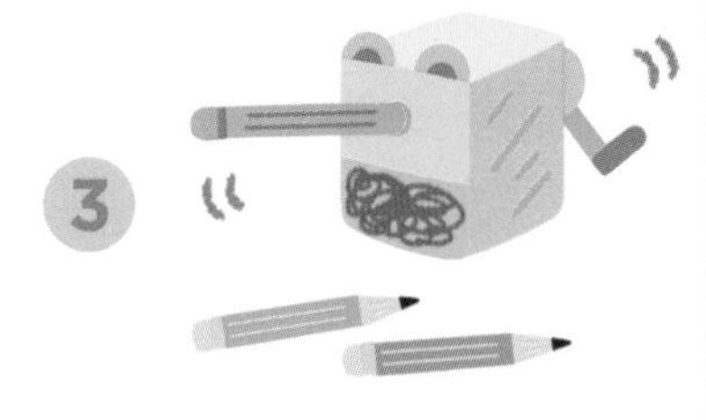

연필을 깎아요.

연필을 깎아요.

4 

의자에 앉아요.

의자에 앉아요.

5 

책을 읽어요.

책을 읽어요.

실전 받아쓰기

★ 부모님이 불러 주시는 낱말을 정확하게 써 보세요.

이름:

1 글자

1 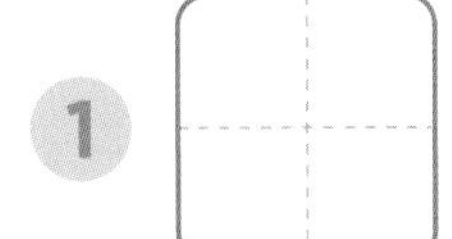

2 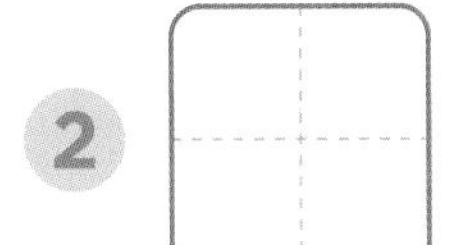

3 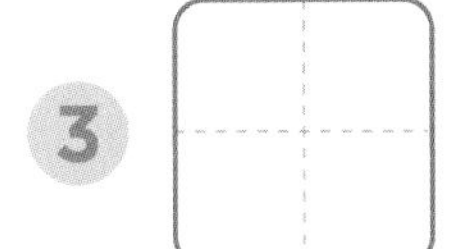

4 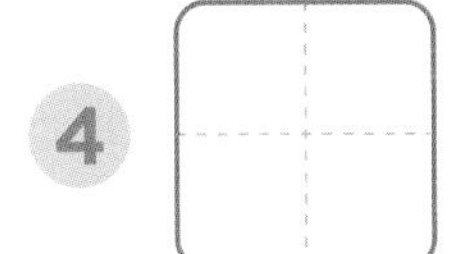

5 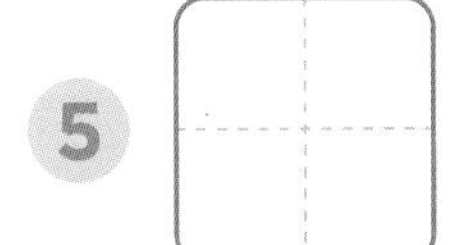

6 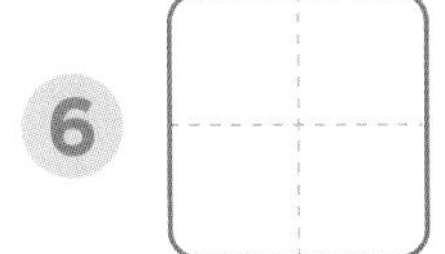

7 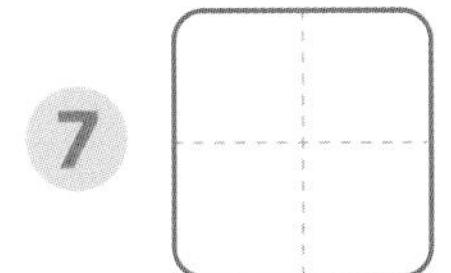

8 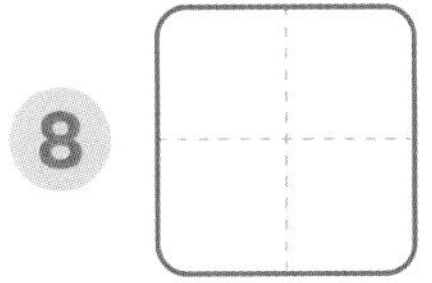

9 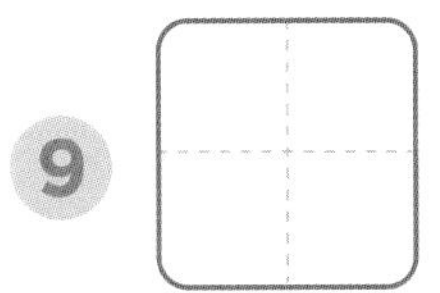

10

2 글자

1 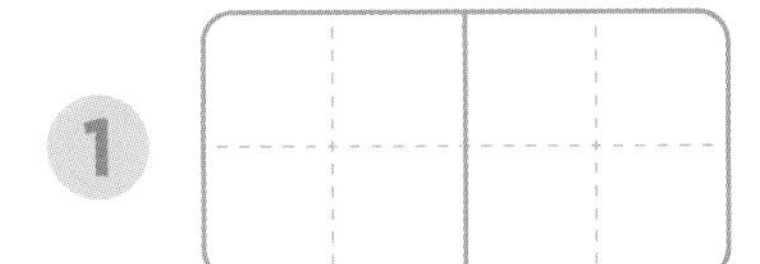

2 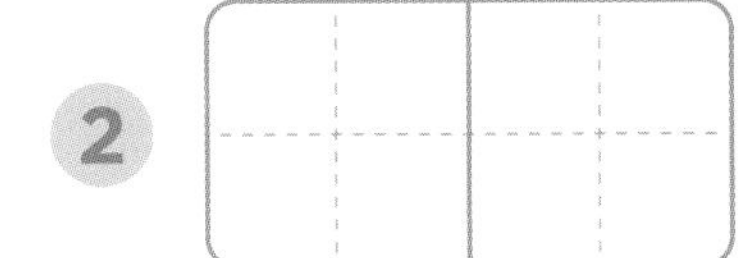

3 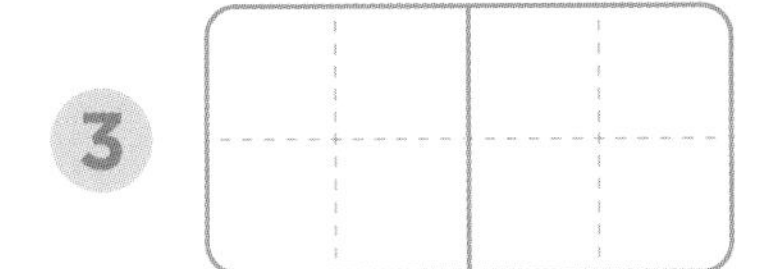

4 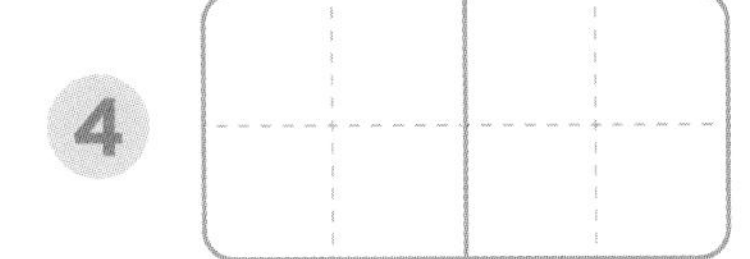

5 

6 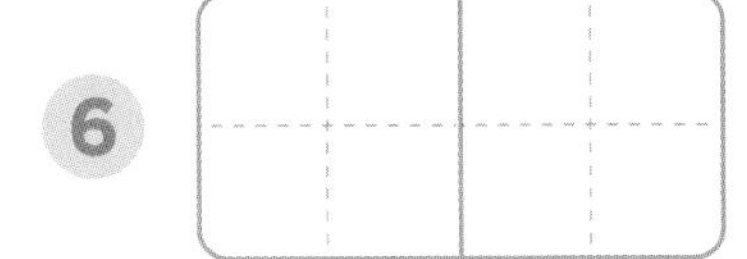

7 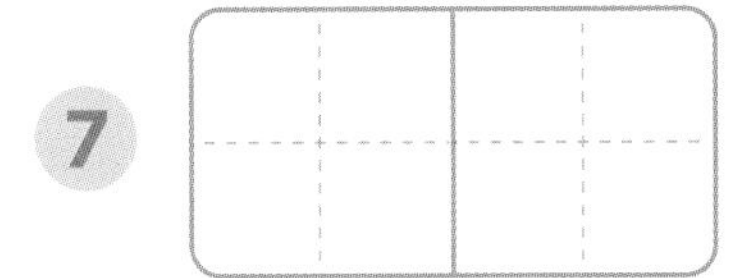

8 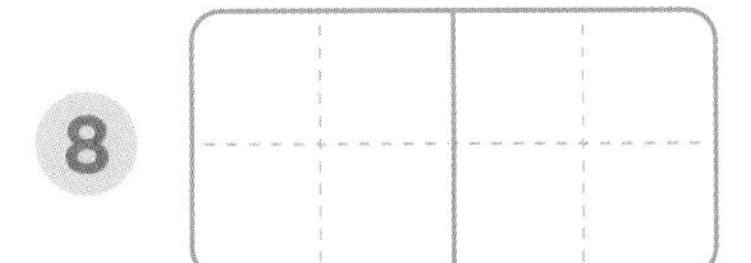

9 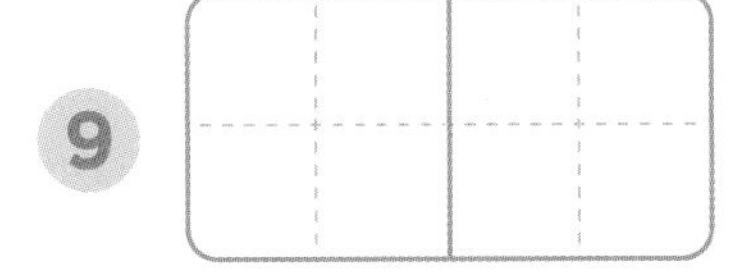

10 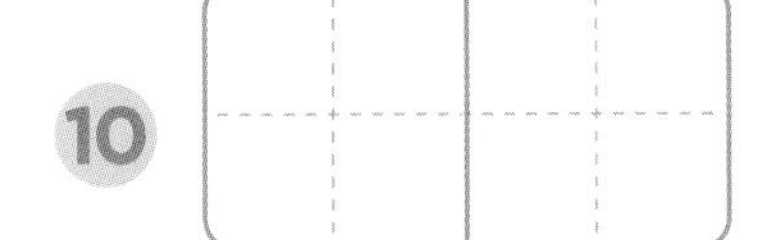

3 글자

1 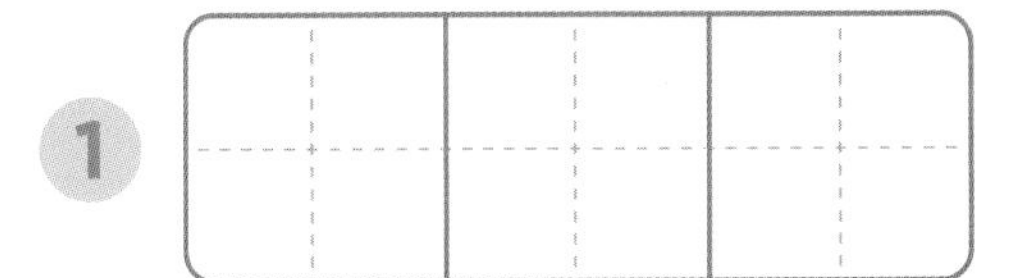

2 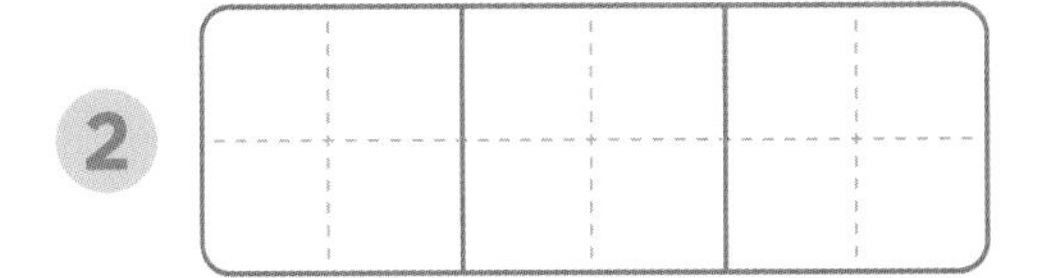

3 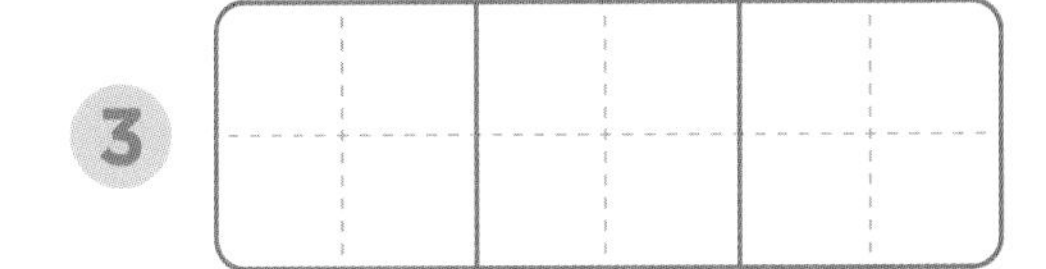

4 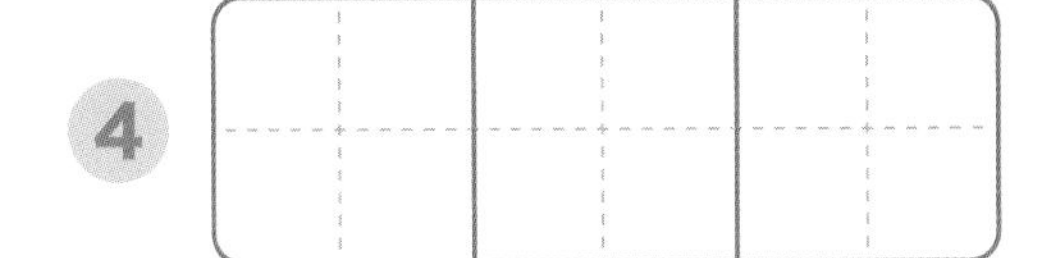

5 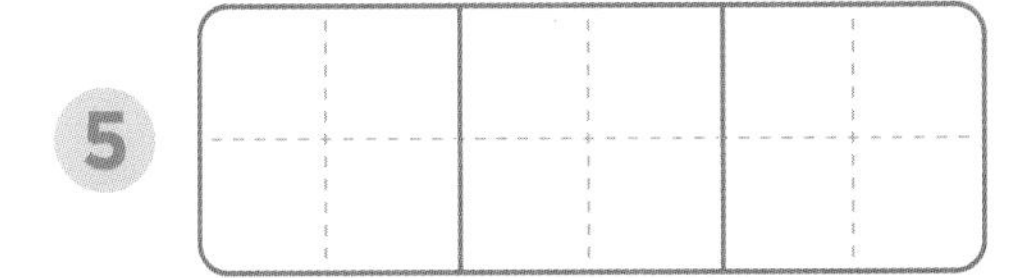

6 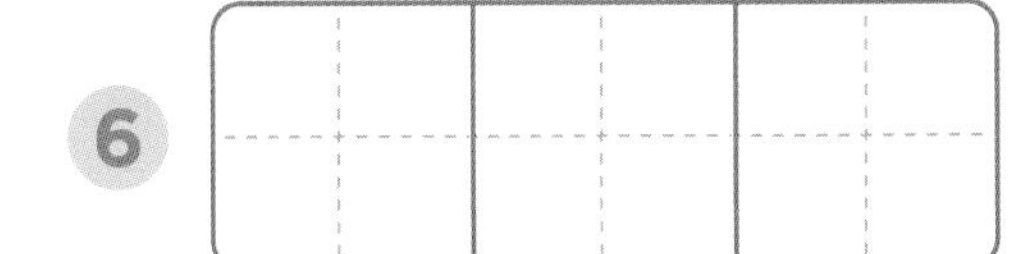

선을 따라 오려서 사용하세요.

완승

4 글자

1

2

3

4

5

6

문장

1 | | | V | | | | |

2 | | | V | | | | |

3 | | | | V | | | |

4 | | | | V | | | |

5 | | | V | | | | |